아나운서

커뮤니케이션이해총서

급변하는 커뮤니케이션 환경 속에서 커뮤니케이션 지식에 대한 욕구가 높아지고 있습니다. 하나의 커뮤니케이션 주제를 10개 항목으로 묶어서 달걀 꾸러미처럼 엮었습니다. 다양한 커뮤니케이션 지식을 쉽게 알고자 하는 대중이나 새로운 커뮤니케이션 지식을 단시간에 알고자 하는 연구자, 실무자, 학생에게 도움이 되는 책입니다.

편집자 일러두기

- 외래어 표기는 현행 한국어문규정의 외래어표기법을 따랐습니다. 다음 단어는 필자의 주장을 반영하여 표기했습니다.
  프레젠터→프리젠터, 애드리브→애들립
- 이 책에 실린 삽화는 이근명 화백이 그렸습니다.

커뮤니케이션이해총서

아나운서

김상준

대한민국, 서울, 커뮤니케이션북스, 2017

아나운서

지은이 김상준
펴낸이 박영률

초판 1쇄 펴낸날 2013년 2월 25일
초판 2쇄 펴낸날 2022년 11월 1일

커뮤니케이션북스(주)
출판 등록 2007년 8월 17일 제313-2007-000166호
02880 서울시 성북구 성북로 5-11
전화(02) 7474 001, 팩스(02) 736 5047
commbooks@commbooks.com
www.commbooks.com

CommunicationBooks Inc.
5-11, Seongbuk-ro
Seongbuk-gu, Seoul, 02880, KOREA
phone 82 2 7474 001, fax 82 2 736 5047

ISBN 978-89-6680-849-6

책값은 뒤표지에 있습니다.

차례

뉴미디어 시대 아나운서의 역할

매스미디어의 발전과 아나운서

한국의 방송에서는 뉴스를 주로 하면서 다양한 장르의 방송과 방송 관련 업무를 하고 있는 직업인을 아나운서라고 한다.

이 책『아나운서』는 방송계에서 인기를 누리고 있는 아나운서란 어떤 직업인인가를 먼저 다뤘다. 그리고 아나운서를 포함한 방송직을 원하는 아나운서 지망생은 물론, 일반인들이 방송이나 일상생활에서 어떻게 하면 '잘 다듬어진 아나운서'처럼 우리말을 할 수 있을까를 염두에 두고 구성했다.

화자(話者)가 청자(聽者)를 설득해서 이해시키고, 나아가 감동하게 하려면 말만 잘해서 되는 것은 아니다. 모자라거나 넘치지 않은 예를 갖추되, 교묘하게 꾸미는 교언영색(巧言令色)에 빠지지 않고, 맞춤법에 맞는 글을 쓰듯 우리말의 음성언어 조건에 맞는 말을 해야 한다. 또한 내가 사용하고 있는 말에 대한 고마움, 한국어에 대한 사랑이 필요하다.

'웅변은 은이요, 침묵은 금'이라는 말이 있다. 동양적인 미덕을 잘못 이해하고 있는 분들은 웅변보다는 침묵이, 유창한 말보다는 어눌한 말이 좋다고 할지도 모른다. 그러나 동양에서도 마음에서 나오는 소리인 말은 사람의 인격이나 덕을 담고 있는 그릇이 되며, 어떤 말을 하느냐에 따라 사람의 성품이 드러난다고 했다. 말씨를 살펴 사람됨을 알고자 하는 신언서판(身言書判)은 예로부터 인재를 등용하기 위한 조건이었다. 사람됨을 판단하는 네 가지 기준인 신수[身], 말씨[言], 문필력[書], 판단력[判]을 일컫는다. 이렇게 말은 예나 지금이나 인격과 결부된 가치를 지닌 것으로 중요하게 여기고 있다.

방송 매체는 말소리를 바탕으로 한 음성언어가 메시지의 기본이다. 그 음성언어의 질은 발음의 수준에 따라 결정된다. 그리고 아름다운 음성언어는 훌륭한 문자언어와 조화를 이루어야 형성된다.

음성언어로 메시지를 전달하는 전파 매체 시대 이전에 우리 민족이 이룩한 활자 인쇄 문화는 세계의 문화 발전에 결정적인 역할을 했다.

인류 역사상 매스커뮤니케이션의 발달 과정에서 대량 전달을 이룬 획기적인 사건으로는 1455년 독일의 구텐베르크(Gutenberg)가 발명한 금속활자에 의한 활판인쇄술을 꼽는다. 그러나 최초의 금속활자본은 1234년 고려 인종 때 편찬한 50권의 『상정고금예문』인데 전해지지 않고 있다. 한편 1377년 청주 흥덕사에서 간행한 금속활자본 『직지심체요절』은 프랑스 국립도서관에 남아 있다. 이 책은 1455년 간행된 구텐베르크 성경보다 78년이 빠르다. 이것은 한국이 인류의 매스커뮤니케이션 발달에 기여한 확실한 증거라 할 수 있을 것이다.

한국의 인쇄 기술과 관련해 2005년 5월에 열린 서울 디지털포럼에서 앨 고어(Al Gore) 전 미국 부통령은 "독일의 구텐베르크가 인쇄술을 발명했다고 주장했지만, 사실 서양의 교황사절단이 한국을 방문한 뒤 얻어온 기술"이라고 말하면서 "한국은 인류에게 인쇄와 디지털이라는 두 개의 선물을 주었다"고 밝혀 주목을 받았다(Seoul Digital Forum, 2005).

이러한 인쇄 매체(print media)의 발달에 이어 전파 매체(electronic media)의 등장으로 시간과 공간이 급속하게 좁아졌다. 전파 매체 시대는 활자 미디어가 실용화되기 시작한 이후 500여 년이 지난 20세기 초에 시작된다.

세계 최초의 전파 매체인 라디오방송은 1920년 11월 2일 미국 북동부에 있는 펜실베이니아주의 상공업 도시인 피츠버그에서 KDKA로부터 시작됐다. 라디오 정규 방송국인 KDKA는 미국의 종합 전기 기기 제조 회사인 웨스팅하우스(Westinghouse)가 정식으로 신청해, 전기기술자인 프랭크 콘레드(Frank Conrad, 1874~1941)가 세계 최초로 방송을 시작했다.

우리나라에서는 1927년 2월 16일 방송이 시작됐다. 이어서 1945년 해방과 1948년 8월 15일 대한민국 정부 수립 이후인 1954년 기독교방송(CBS), 1959년 부산문화방송 개국으로 민영방송 시대가 열렸다. 1960년대는 본격적인 민간방송이 꽃을 피우면서 1961년 12월 2일 문화방송 MBC 라디오가 개국하고, 1963년 4월 25일 동아방송 DBS 라디오, 1964년 5월 9일에는 TBC 동양방송의 전신인 라디오서울이 개국했다.

TV방송은 1956년 5월 12일 최초의 상업TV방송인 HLKZ가 설립되면서 첫발을 내디뎠다. 그러나 1959년 화재로 HLKZ의 송출이 중단된 이후 1961년 12월 31일 KBS TV가 탄생하면서 본격적인 TV 시대를 맞게 됐다. KBS에 이어 1964년 12월 TBC 동양 TV, 1969년 8월 MBC TV가 개국했다. 이처럼 민간방송이 다투어 개국하는 가운데 KBS는 1973년 3월 3일 한국방송공사로 개편됐다.

이후 1980년 12월부터 컬러TV시대를 맞이한다. 한국의 방송은 1986년 아시안 게임과 1988년 서울올림픽,

2002년 한일 공동개최 월드컵을 거치면서 영상 기술의 발전을 이룩해 뉴미디어 방송 시대로 돌입한다. 뉴미디어는 전자공학 기술의 발전으로 새로운 정보교환과 통신수단이 되는 대중매체가 지배적 존재가 되는 미디어를 말한다.

1995년 케이블TV방송의 시작으로 뉴미디어 시대에 돌입한 한국 방송은 2000년대 들어 인터넷 방송(Intercast)의 양적 팽창으로 신개념 방송 시대를 열게 된다. 이후 2011년 12월 1일 종합편성채널(General Programming TV Channels)의 방송 시작으로 미디어 빅뱅 시대에 돌입했다.

미디어 빅뱅(media big bang)이란 우주의 대폭발처럼 신문과 방송의 겸영, 방송과 통신의 융합은 물론 기술진보에 따른 IPTV, 3DTV, 스마트TV 등 뉴미디어가 등장해 전체 미디어 산업이 '빅뱅' 같은 강도로 재편되는 현상을 일컫는다.

뉴미디어의 결과물로 위력을 떨치고 있는 SNS(Social Network Service)도 정보 제공과 정보 공유의 새로운 미디어로 각광받고 있다. SNS는 웹상에서 이용자들이 인적 네트워크를 형성할 수 있게 해주는 서비스로 트위터와 카카오톡, 페이스북 등이 대표적이다. SNS는 인터넷에서 개인의 정보를 공유할 수 있게 하고, 의사소통을 도와주는 1인 미디어, 1인 커뮤니티라 할 수 있다.

2012년 12월 31일로 한국의 방송은 아날로그 TV 시대의 막을 내리고 디지털 방송 시대에 돌입했다. 디지털 방송 시대는 한국방송사의 새로운 시대가 시작됐음을 의미한다. 뉴미디어를 대표하는 디지털화(digitalization)한 방송은 컴퓨터 기술의 응용이 필수가 되면서 모든 정보가 디지털 신호로 통일된 방송을 지칭한다. 디지털TV는 쌍방향성(interactivity)을 실현함으로써 수용자의 의도대로 정보 선택이 허락되는 기술혁신을 가져왔다.

우리나라는 뉴미디어 시대의 개막과 함께 한류(韓流) 열풍을 일으키고 있다. 한류는 중국인들의 한국 대중문화에 대한 열광을 표현하기 위해 2000년 2월 중국 언론이 사용한 말이다. 한류 열풍은 2002년 배용준이 출연한 KBS TV 드라마 〈겨울 연가〉의 인기를 바탕으로 한국 대중문화가 일본으로 세력을 확장한 것을 계기로 전 세계로 확산되고 있다.

한류로 인해 드라마와 가요, 영화 등 대중문화뿐 아니라 가전제품 등 한국 관련 제품에 대한 선호 현상도 뚜렷이 나타나기 시작했다. 또한 한국에 깊은 관심을 가지고 한국어를 배우는 젊은이도 증가하고 있는데, 타이완에서는 이런 젊은이들을 '합한족(哈韓族)'이라고 부른다.

우리나라 방송은 영상 제작에서 세계적 수준이다. 한류

의 확산도 우리나라 방송의 영상 제작 기술의 뒷받침이 있었기에 가능했다. 한국의 지상파 3사는 2017년 5월 31일부터 UHD(Ultra High Definition Television) 방송을 세계 최초로 시작했다. UHD 방송은 기존 HD 방송보다 4배의 선명한 화질로 방송함으로써 현장감과 몰입감을 높이고, 음향과 입체감도 강화했다.

이렇게 눈부시게 발전하고 있는 방송 매체가 나타나기 전 주류 매체였던 인쇄 매체는 글을 읽고 쓸 줄 알아야 한다는 제한이 있었다. 그래서 정보의 내용도 논리적인 지식이 주류를 이루어 일부 상류 계층을 중심으로 한 귀족문화(elite culture)를 형성하는 데 기여했다. 그러나 라디오나 텔레비전과 같은 전파 매체는 누구나 쉽게 그 내용을 알 수 있고, 또한 사변적이기보다는 감성적이고 오락적인 내용이 많아 일반 대중의 생활에 쉽게 침투해서 대중문화(popular culture)를 형성하는 계기가 됐다.

우리나라에서 표준어를 공식으로 정한 것은 조선어학회가 1933년에 펴낸 『한글맞춤법통일안』에서다. 이것은 1927년 2월 16일 방송이 개시된 6년 후다. 이어서 1936년에 『사정한조선어표준말모음』이 편찬됐으며, 뉴미디어가 태동한 시점인 1988년에는 개정된 한글 맞춤법과 음성언어의 규범인 표준발음법이 고시됐다.

방송사들은 이러한 어문규범 정비에 발맞춰 방송언어의 순화와 미화에 관심을 기울여 적극적이며 능동적으로 한국어 진흥 대책을 세워야 한다. 또한 한류의 영향으로 우리 한국어에 대한 세계인의 관심이 높아지고 있는 시점에서 한국어를 경쟁력 있는 문화 자원으로 만들기 위해 '아름다운 한국어, 힘 있는 한국어'로 가꾸어 나가는 노력을 기울여야 한다.

이 책은 아나운서란 무엇인가를 시작으로 해서 아나운싱과 스피치의 이론과 실제를 병행함으로써 일반 독자를 위한 교양서적과 대학의 교재로 활용할 수 있게 하고, 아나운서와 기자 등 방송인을 비롯해서 방송사 입사를 준비하고 있는 이들에게는 지침서 역할을 하도록 구성했다. 또한 책 속에 있는 자료는 물론이고, 설명문을 그대로 소리 내서 읽더라도 발음과 발성, 억양 등을 익히는 낭독 교재가 되도록 엮었다. 전체적으로 낭독용 문장의 특성을 살려 가능하면 구어체 문장으로 작성했으며, 문어체인 '하였다'는 '했다'로, '되었다'는 '됐다' 형태로 바꾸고, '및'과 같은 문어 표현들을 배제했다. 외래어는 관용 발음을 참고하고, 복합어 등은 띄어쓰기를 줄여서 낭독하기가 쉽게 했다.

이 책 『아나운서』는 아나운서에 대한 정의를 시작으로 아나운싱의 이론과 실제에 관한 내용으로 다음과 같이 열개 단원으로 구성한다.

아나운서

전통적으로 아나운스를 하는 사람을 아나운서라고 한다. 그러나 프로그램의 장르가 다양해지고 방송인들의 역할이 세분되면서 여러 종류의 용어들이 생겨났다.

먼저 아나운서에 대한 협의의 정의로는 지상파방송과 케이블TV, 인터넷방송 등 라디오와 텔레비전방송사 사원을 말한다. 이 밖에도 보이스 액터(Voice Actor)라고 하는 성우를 비롯해서 음악 등을 선곡하고 소개하며 정보를 주는 DJ(Disk Jockey), 토크쇼를 비롯한 쇼나 오락 프로그램의 사회자인 MC(Master of Ceremonies)가 있다. 또한 각종 소식을 취재해서 현장에서 알려주는 리포터(Reporter)와 날씨를 비롯한 전문 분야의 소식을 전해주는 캐스터(Caster) 등으로 불리는 직업인들이 있다. 광의의 정의로는 방송사를 포함해서 학교와 기업, 공항이나 역의 터미널, 백화점, 경기장 등에서 안내 방송을 하는 사람이나 그 직업을 말할 때도 아나운서라는 명칭을 사용한다.

한국언론진흥재단에서는 아나운서란 협의의 개념으로는 '뉴스 전달자'를 말하며 방송사에 사원으로 고용돼 있는 사람으로 한정하고, 광의의 의미로는 방송에 출연하는 비연예 인사를 말한다고 정의하고 있다.

미국의 경우 방송 초창기의 방송인들은 능력 있는 사람들로, 쇼 비즈니스에 근거해 자신의 전문성을 키워 나가면서 전통을 만들어 갔다. 이때 방송 진행자에게 붙인 이름인 아나운서는 세일즈맨이기도 하고, 의식을 진행하는 전문가며, 세련된 통역관이기도 했다.

미국의 경우 초기 라디오 아나운서들은 다양한 업무를 수행했다. 그들은 뉴스를 낭독할 뿐만 아니라, 광고를 전하고, 클래식 음악에 정통해야 했다. 또한 유명배우와 최신 음악 경향에 대해 풍부한 지식을 가지고 있어야 했으며, 외국어로 된 이름을 발음하는 데도 정확해야 했다.

지금 우리가 살고 있는 뉴미디어 시대는 누구나 브로드캐스터(broadcaster)가 될 수 있다. 그러나 아무나 아나운서가 될 수 있는 것은 아니다. 이 책 1장에서는 한류의 영향으로 한국어에 대한 세계인의 관심이 높아지고 있는 시점에서 아나운서의 역할과 사명을 조명했다. 또한 한국적이 아나운서의 개념과 아나운서 상을 정리하고 있다.

아나운서의 발성과 발음

좋은 목소리는 선천적인 자질도 중요하지만 대부분 후천적으로 만들어지는 것이다. 그것도 발성기관에서 나온 소리를 부드럽게 하고, 둥근 느낌이 들면서 듣기 좋은 울림을 내는 공명강(共鳴腔)을 잘 활용할 때 가능한 것이다. 공명강은 하나의 발음체가 내고 있는 세력을 다른 발음체가 흡수해서 울림이 증폭되는 것을 의미한다. 원래 성대의 진동으로 생긴 소리는 작고 음색이 거의 없다. 이 소리가 공명강을 지나면서 울림이 커지고 성대에서 생긴 진동이 전달돼 배음(倍音, harmonic tone)이 첨가되기 때문에 음이 더욱 아름답고 크게 확대되는 것이다.

정확하고 분명한 발음은 아나운싱과 스피치 커뮤니케이션의 기본이다. 1988년 1월 19일 당시 문교부에서 고시한 표준어규정(문교부 고시 제88-2호, 1988.1.19) 중 표준발음법은 우리 국어사상 획기적인 어문 정책의 시발점이었다고 할 수 있다. 표준발음법을 활용하면서 한국어 발음 연습을 한다면 효과적인 언어생활을 할 수 있을 것이다.

한국어는 모든 음절에 자음과 모음, 아니면 확실한 모음이 들어 있어서 전달력이 타 언어에 비해 탁월하다. 그래서 설득 커뮤니케이션에 대단히 효과적인 언어다. 자음과 모음 등 음절 단위의 발음 연습에 정성을 기울인다면 설득력도 높아질 것이다.

아나운싱의 개념

이 책은 아나운싱(announcing)이라는 예술 작품을 리사이틀하는 아나운서에 대해 다루고 있다. 부드럽고 깊이 있는 발성에 품격 있는 아나운싱을 위해서는 초보부터 전문 수준에 이르기까지 워크숍 형태의 단계별 훈련을 통한 이론 교육과 실제 훈련이 필요하다.

우리말도 외국어처럼 공부하면 아나운서와 같이 달인의 경지에 이를 수 있다. 서예는 3대 요소인 필법(筆法)과 필세(筆勢), 필의(筆意) 등을 갖추면서 예술적 기교와 감성적 표현이 조화를 이뤄야 한다. 서예가는 이런 3대 요소를 두루 익혀 훌륭한 글씨를 쓰기 위해 어린 시절부터 서예의 집필과 운필 등을 연마한다. 아나운서도 마찬가지다. 심도 있는 언어 훈련과 낭독 교육을 한다면 한국어의 달인이 될 수 있을 것이다.

여기서는 방송의 아나운싱 분야를 다섯으로 나누었다. 먼저 장르 Ⅰ 뉴스를 비롯해서, 장르 Ⅱ 내레이션, 장르 Ⅲ MC와 DJ, 장르 Ⅳ 중계방송, 장르 Ⅴ 시낭송 으로 나눈 것이다. 또한 수준 높은 아나운싱의 언어 표현과 서예의 다섯 가지 서체를 비교함으로써 아나운싱의 전문 분야별 모델을 제시한다. 또한 방송언어와 함께 인터넷과 소셜 네트워크(social network)를 비롯한 스피치 커뮤니케이션

전반의 음성언어 표현까지 염두에 둔 아나운싱의 이론을 정립한다.

방송언어론

넓은 의미의 방송언어는 일상 언어와 마찬가지로 입말인 음성언어와 글말인 문자언어로 나눌 수 있다. 그리고 좁은 의미의 방송언어는 방송인이 방송에서 사용하는 음성언어를 말한다.

이 책은 방송언어의 일반 현상에 대해 살펴보고, 바람직한 표현 기법의 방향을 제시하기 위해 이론과 실제가 함께 조화를 이루도록 했다. 방송언어는 방송 전파가 실용화된 1920년대 이후 방송 매체의 특성에 따라 독특하게 발전돼 왔다. 특히, 문체론적인 특징으로 구어체와 문어체가 조화를 이루는 특이한 메시지로 발전했다. 방송언어는 인쇄 매체의 문자언어와 달리 불특정 다수를 대상으로 하기 때문에 일상 언어와 격을 달리한 순화된 말이어야 한다.

방송의 형태와 제작 기법이 다양해지면서 방송인의 범위도 폭이 넓어졌다. 방송사 고유의 직종인 아나운서, 기자, 프로듀서, 성우, 탤런트를 비롯해서 자유 출연 방송인(free lancer)으로 DJ, MC, 리포터 등과 기상, 교통, 증권, 물가 등 각종 정보를 전달하는 방송 요원이나 통신원에 이르기까지 다양하다.

이 책은 한국의 방송인들이 구사하고 있는 언어 현상을 연구한 이론서와, 그들의 언어 구사 능력을 기르기 위한 지침서 역할을 함께할 수 있게 엮었다.

뉴스 아나운싱

한국의 일부 방송인과 학자 중에는 뉴스는 말하듯이 해야 한다는 주장을 하는 사람들이 있다. '말하듯이'라는 말을 '기교를 부리지 않고 부드럽게'라는 의미로 본다면 옳다. 그러나 칼 하우스만 등(Hausman, et al., 2000)은 뉴스에서 리듬의 변화를 비롯한 다양한 억양과 강세, 소리의 크기와 세기, 높낮이 등 모든 것을 고려해 총체적으로 변주하듯 원고를 읽게 되면, 마치 한 곡의 음악처럼 말의 운율이 살아난다고 말한다. 그리고 유능한 커뮤니케이터라면 방송용 문장에서 고유의 운율을 찾아야 한다고 말한다. 또한 그 내용을 극적으로 살리기 위해서는 뉘앙스와 정서를 살려야 하고, 언어 본래 의미로 표현이 불가능한 것은 유사 언어적인 것으로 살려야 한다고 말한다.

이 책에서는 방송 뉴스를 리사이틀로 보고 거기에 맞는 자세와 훈련 방법을 제시한다. 여기서 리사이틀이라는 말은 성대라는 악기로 방송하는 행위, 즉 방송언어를 표출하는 행위를 상징한 것이다. 어떤 형태의 방송보다도 연주와 가까운 방송이 바로 낭독형 뉴스라 할 수 있다.

MC, DJ, 내레이션

MC(Master of Ceremonines)란 어떤 의식이나 행사, 대담과 좌담 프로그램 등의 진행자를 뜻한다. 방송에서 수많은 종류의 프로그램을 소화해야 하는 MC는 내용을 잘 전달하는 애들립(ad lib) 능력이 뛰어나야 하고, 프로그램 제작에 필수적인 기획회의 등 여러 가지 부수적인 과정과 활동에도 적극적이어야 한다.

DJ는 클래식 음악 방송과 팝 계열의 음악 방송을 진행하는 방송인이다. 팝 계열 음악 방송의 진행에는 톡톡 튀는 개성이 요구된다면, 클래식 음악 프로그램 진행자에게는 정감 있고 풍부한 소리, 따뜻한 음색과 친밀하고 신뢰감 있는 목소리가 요구된다.

내레이션의 의미는 다양하게 쓰인다. 일반적으로 영화, 텔레비전, 라디오의 다큐멘터리나 구성물 등의 해설이라는 의미로 사용되고 있다. 내레이션은 화면의 이미지에 맞추어 마치 밀물과 썰물처럼 자연스러운 흐름으로 프로그램 분위기를 살려야 한다. 목소리는 너무 강하지 않게 하고, 효과적으로 내용 전달을 해야 한다.

리포터 · 캐스터

리포터와 캐스터는 아나운서와 마찬가지로 유창한 아나운싱이 기본이다. 언어적인 표현은 물론이고 비언어적인 면에서도 전달해야 할 상황을 냉정하게 파악하고 차분하게 대처하는 능력이 필요하다.

리포터는 뉴스나 시 사문제 등을 취재해 라디오, TV, 케이블, 인터넷 방송 등에서 전달하는 일을 담당한다. 또한 취재를 위해 사건 현장에 직접 가거나 사건 관련 당사자들을 인터뷰한다.

한국에서는 리포터 중에서 기상에 관한 정보를 제공하는 방송인을 기상 캐스터로 부르고 있다. 그러나 미국에서는 기상 리포터라고 한다. 한국의 기상 캐스터나 미국의 기상 리포터는 기상 전문가면서 엔터테이너라 할 수 있을 정도로 인기인들이 많다. 최근 기상 캐스터로 전문가를 기용하는 경우가 많다. 기상예보는 과학이며, 시청자들의 생활방식과 복지, 안전에도 영향을 주고 있기 때문이다. 미국에서 기상 캐스터에 대한 이미지는 최신 기술의 전문가로 인식된다.

리포터와 캐스터는 표준어와 바른 우리말을 구사할 수 있는 능력이 요구되며, 방송에 출연하기 때문에 시청자에게 호감과 신뢰감을 줄 수 있는 외모를 가꾸어야 한다.

중계와 현장 묘사

스포츠 중계 아나운서는 스포츠 캐스터로 불린다. 캐스터(caster)라는 말은 '~을 던지다'라는 cast에서 파생된 것으로, 정보를 던지는 사람이라는 뜻으로 풀이하고 있다(조건진, 2000). 따라서 캐스터는 경기장에서 벌어지는 상황, 즉 지금 벌어지는 역동적인, 때로는 감동의 드라마와도 같은 매 순간을 훈련된 언어로 각색해서 던지는 언어의 마술사라 할 수 있다. 그러나 외형적 표현 기술에 지나치게 집착하다 보면, 어법에 맞지 않는 언어 표현이나 국적 불명의 뜻 모를 용어를 남발하며 경기의 흐름과 맞지 않게 내용을 잘못 전달하는 일이 벌어지기도 한다.

뉴스를 리포트하는 기자들도 사건 현장에서 상황을 묘사할 때 거의 중계방송 수준의 언어 표현이 필요할 때가 있다. 그러나 연습이 부족하면 당황하고, 언어 표현이 어눌해지면서 장황하고 내용이 없는 리포트를 하는 경우가 많다. 중계방송 캐스터들은 사건 취재나 방송 출연 때 발생할 수 있는 돌발 상황에 대한 대처 능력을 갖춰야 하며, 깊이 있는 내용의 전달을 위해서 사회와 문화 등 다방면에 대한 지식과 관심을 가지고 있어야 한다.

아나운서와 비언어 커뮤니케이션

아나운서는 발음과 억양 등 언어적 자질은 물론 비언어적 능력을 겸비해야 한다. 그래서 목소리와 얼굴, 눈과 자세, 몸짓과 의상 등 비언어 커뮤니케이션에도 신경을 써야 한다. 또한 유창한 아나운싱은 물론이고 연기자가 갖춰야 할 카메라 앞의 침착성, 정확한 정보 전달을 위한 애들립 구사, 연기 수준의 자세와 동작도 필요하다.

책을 읽는 듯 낭독하는 단조로운 어투, 어색한 톤의 어투, 노래하는 듯한 어투, 판에 박힌 어투, 흐느끼는 듯 애조가 섞인 어투 등은 비언어적 소양이 부족해서 일어난다. 특히 텔레비전 뉴스를 라디오 뉴스처럼 하는 경우가 있는데, 이것은 음성 연기를 전혀 하지 못하는 아나운서라 하겠다.

따라서 아나운서는 언어 본연의 내용이 아닌, 언어의 음성적 측면과 관련된 유사 언어(meta language)에도 많은 관심을 기울여야 한다. 유사 언어는 개인의 말하는 스타일과 관련돼 커뮤니케이션 능력을 결정짓는 중요한 요소로 작용하기 때문에 공중 연설 등 공식 스피치에서 매우 중요하게 다루는 부분이 된다.

아나운서와 교육

유능한 아나운서, 즉 효율적인 커뮤니케이터는 다양한 교육과 훈련을 통해 토론할 줄 알고, 전체적인 일의 개념을 파악할 수 있어야 한다. 정치학이나 역사를 소홀히 한 뉴스 리포터는 때로는 기사를 오해하거나, 방송 중에 중대한 실수를 할 수도 있을 것이다. 어떤 사안에 대해 표현하는 어휘를 놓고 어떻게 발음을 해야 하는지, 그 단어의 사용법에 대해 알지 못하는 아나운서는 지각없는 사람으로 오해받을 수 있다. 다른 분야와 마찬가지로 충분히 교육을 받지 못한 사람은 아나운서로 성공하기 힘들다. 정규교육을 통해서든 독서나 인생 경험으로 지식을 얻었든 간에 교육은 방송 분야에서 성공의 지름길이나 다름없다.

이 장에서는 일반적인 낭독에서 아나운서 수준의 전문적 아나운싱의 수준에 이르기까지 단계별 훈련을 통한 아나운싱의 기법을 익히도록 한다. 또한 한국어 음성언어 표현을 위한 발음법과 발성법, 다양한 장르의 문장 낭독법에 이르기까지 아나운서들이 거쳐야 하는 교육과정과 낭독 교육의 방향을 제시한다.

흔히 아나운서 교육은 앵무새처럼 주어진 원고나 잘 읽는 사람을 기르는 것이라고 착각하는 사람들이 많다. KBS를 비롯한 MBC, SBS 등 지상파방송사의 아나운서 채용시험은 언론고시라고 할 만큼 어려운 관문을 통과해야 한다. 이렇게 어려운 관문을 통과해 입사한 이후에도 교육과정에서 더욱 치열한 경쟁을 치러야 한다.

아나운서에 대한 교육은 시청자에게 군림하면서 잘난 체하지 않도록 조심하라는 주문을 해야 한다. 그래서 아나운서 교육과정은 아나운서이기 이전에 인간적으로 성숙한 사람이 돼야 한다는 것을 전제로 각종 교육을 진행해 나간다.

이 장에서는 세계적인 공영방송인 BBC와 NHK의 입사와 채용, 교육제도에 대해서도 알아본다. 영국 BBC는 아나운서라는 말 대신 프리젠터(presenter)라는 이름으로 방송 진행자를 부르고 있다. BBC는 현재 범세계적인 지역 사투리와 각 민족의 특성에 따른 언어의 다양성을 인정하고 있다. NHK 일본어는 1925년 개국 이래 NHK 아나운서들이 다듬어 온 일본 공용어의 모범으로 자타가 공인하고 있다. NHK는 전국적으로 500여 명 아나운서가 거의 모든 방송을 담당하면서, 엄격한 교육과 인사제도에 따라서 언어와 교양 프로그램 제작으로 회사에 기여하고 있다.

01

아나운서

아나운서는 세계화 시대에 맞는 폭넓은 교양과 지식, 표준한국어를 포함한 올바른 방송언어 사용 능력을 갖추는 것이 필수다. 또한 외국어 사용 능력을 비롯해서 시청자에게 호감을 주는 외모와 격무를 감당할 만한 건강을 필요로 한다. 한국의 방송사 아나운서는 다양한 역할을 하고 있다. 백과사전적인 지식과 교양을 갖추고, 자신보다 출연자를 먼저 의식하면서 방송을 진행하는 아나운서는 어떤 직업인인지 알아본다.

아나운서의 정의

아나운서(announcer)라는 말은 일반적으로 아나운스(announce)를 하는 사람이라는 뜻으로 쓰고 있다. 그러나 방송 초창기와 달리 방송 프로그램이 다양해지고 방송인의 역할이 세분되면서 여러 종류의 직업명들이 생겼다.

아나운서는 협의의 아나운서와 광의의 아나운서로 나눌 수 있다. 협의의 아나운서는 지상파방송과 케이블TV, 인터넷 방송 등 라디오와 텔레비전방송사의 사원으로 TV와 라디오의 뉴스와 MC, DJ, 스포츠와 각종 행사의 중계방송 등을 주 임무로 하는 사람이나 그 직업을 말한다.

지상파방송은 송신탑을 통해 수용자에게 보내는 방송으로 한국에서는 KBS, MBC, SBS 등을 들 수 있다. 지상파와 달리 케이블로 연결돼 가정으로 보내는 방송으로, 셋톱박스를 이용해 일부 방송을 제한할 수 있는 케이블방송이 있다.

지상파와 상대적으로 통신위성을 통해 보내는 방송은 위성방송이라고 한다. 또한 인터넷(internet)과 방송(broadcast)이 결합한 인터넷 방송은 합성어로 인터캐스트(intercast)라고도 한다. 인터넷 방송은 1995년 인텔사가 소개했는데, 1996년 애틀랜타올림픽 때 미국 NBC방송국이 처음으로 시험 방송을 했다.

광의의 아나운서는 방송사를 포함해서 학교와 기업, 공

항이나 역의 터미널, 경기장 등에서 안내 방송을 하는 사람이나 그 직업을 말한다.

한국에서는 정규직이 아닌 자유 출연 방송인으로 아나운서와 달리 분류하는 직업군을 미국에서는 아나운서로 통칭하는 경우도 있다. 이들은 보이스 액터(Voice Actor)라고 하는 성우를 비롯해서 음악 등을 선곡하고 소개하며 정보를 주는 DJ(Disk Jockey), 토크쇼를 비롯한 쇼나 오락 프로그램의 사회자인 MC(Master of Ceremonies), 각종 소식을 취재해 현장에서 알려 주는 리포터(Reporter), 날씨 등 전문 분야의 소식을 전해 주는 캐스터(Caster) 등으로 부르는 직업인들이다(김상준, 2008).

칼 하우스만(Carl Hausman) 등이 쓴 『아나운싱(Announcing)』에서는 아나운서와 같은 개념으로 아나운서를 비롯해서 커뮤니케이터(communicator), 방송인(broadcaster), 스포츠 캐스터(sports anchors), 리포터, 기상 캐스터(weathercaster), MC, 라디오 토크쇼 진행자(radio talk show host), 영화 프로그램 진행자(movie host), 어린이 프로그램 진행자(children's show host), 게임 쇼 진행자(game show host) 등으로 분류하고 있다(Hausman et al, 2000).

협의의 개념으로 아나운서는 뉴스 전달자를 말하고, 광

의의 의미로는 방송에 출연하는 비연예 인사를 포함하는데, 더 좁힌다면 방송사에 사원으로 고용돼 있는 사람을 뜻한다고 할 수 있다.

미국의 경우 방송 초창기 방송인들은 능력 있는 사람들로 쇼 비즈니스에 근거해 자신의 전문성을 키워 나가면서 전통을 만들어 갔다. 방송 진행자에게 붙여진 이름인 아나운서는 세일즈맨이기도 하고, 의식을 진행하는 전문가이며, 세련된 통역관이기도 했다. 초기 라디오 아나운서들은 다양한 업무를 수행했다. 아나운서는 광고를 전하고, 뉴스를 낭독할 뿐만 아니라 외국 이름을 발음하고, 클래식 음악에 정통해야 하며, 유명 배우와 최신의 음악 경향에 대해 풍부한 지식을 가지고 있어야 했다(Hausman et al., 2000). 미국에서 초창기 아나운서는 재치 있고 세련돼야 했으며, 방송하는 중에는 수신자로 하여금 단지 말한다는 느낌이 아닌 일종의 공연을 한다고 인식하도록 하는 능력을 가져야 했다.

1920년 11월 2일 미국의 피츠버그에서 시작된 최초의 방송 KDKA에서 방송을 시작한 세계최초의 아나운서는 해롤드 알린(Harold Arlin, 1895~1986)이었다. 그는 세계최초의 아나운서로서 워런 하딩(Warren G. Harding)이 당선된 1920년 제29대 미국 대통령 선거 방송과 최초

그림 1 세계 최초의 아나운서 해롤드 알린(Harold W. Arlin).

출처: https://www.google.co.kr

의 야구중계방송 아나운서로 명성을 떨치면서, 미식축구와 테니스, 복싱 경기 등을 중계방송하기도 했었다(https://en.wikipedia.org).

1930년 중반까지 라디오방송은 좋은 목소리를 가진 아나운서의 시대였다. 라디오방송에서 성공하려면 남성들의 경우 깊은 울림을 가진 음성이 필수였다. 당시는 메시지를 전달하는 화법으로 정형화된 어구 등을 강조했다.

훌륭한 목소리와 제스처, 매너로 유명했던 로널드 레이건(Ronald Reagan) 대통령은 젊은 시절 아나운서로 일했던 경험이 연설과 설득에 많은 도움을 주었을 것이다. 일리노이주에서 1911년에 태어난 그는 1932년 유레카대학 경제학과를 졸업한 후 아나운서로 일했다. 1937년에는 영화배우로 할리우드에 진출해 1964년까지 50편의 영화에 출연했다. 1980년 민주당의 지미 카터(Jimmy Carter)를 누르고 제40대 대통령에 당선됐다.

김성호(1997)는 한국 최초의 아나운서로 1927년 방송을 시작한 이옥경, 최초의 공채 아나운서로 마현경, 최초의 남자 아나운서는 김영팔, 최초의 스포츠 캐스터로 권투 중계를 했던 박충근을 꼽는다. 또 1936년에 입사한 이계원은 음의 고저와 장단을 엄격하게 지켜 한국어 발음 사전이라고 할 수 있을 정도라고 했다. 김진섭, 이덕근, 민재호, 윤길구, 장기범, 강찬선 등은 아나운서의 선각자들이었다. 이어서 황우겸, 최계환, 임택근, 이광재, 강영숙, 전영우, 박종세, 임국희, 원종관, 이규항, 이장우, 김승한, 서기원, 김동건, 변웅전, 황인용, 차인태, 박찬숙, 이계진 등의 원로 중진 아나운서들이 한국 방송을 이끌어 왔다.

과거 라디오방송 시절에는 아나운서의 미성(美聲)이 강조되기도 했으나, 지금은 굳이 미성을 강조하고는 않는

그림 2 한국 최초의 여자 아나운서 이옥경(1902~1982)

ⓒ 커뮤니케이션북스

다. 그러나 목소리로 방송하는 직업인 이상 미성은 아니라도 시청자가 듣기 좋은 목소리는 필수다. 아울러 표준어의 능숙한 구사를 비롯해 외래어나 외국어의 사용 능력, 음성 표현의 기술, 프로그램의 성격에 맞는 의상과 분장, 문장력과 기사 작성 능력, 교양과 식견, 방송 현장에서 균형 감각을 비롯한 판단력, 상황에 대처하는 순발력 등이 필요할 것이다.

아나운서의 직명

한국

아나운서의 정의에서 정리한 것처럼 한국에서는 방송사의 직명으로 아나운서라는 명칭을 쓰고 있다. KBS는 과거 정부에 소속된 공무원일 때 아나운서라는 일반적인 직명 외에 정부의 발령 사항으로 방송원 혹은 방송원보 등 공무원의 직제로 부르기도 했다.

일본

한국처럼 아나운서로 부르고 있다. 물론 일본어로는 아나운사(アナウンサ)로 부르고, 영어로는 아나운서(announcer)로 쓰고 있다. 1925년 라디오방송을 시작한 일본은 NHK 아나운서들의 말을 표준 일본어로 인정하고 있다(김상준, 1997).

영국

영국 BBC의 경우는 1970년대까지 아나운서라는 직명을 사용했다. 그러나 1980년대 이후 지금은 라디오 진행자를 중심으로 해서 프리젠터(presenter)라는 직명을 사용하고 있다. 일반적인 호칭으로 아나운서라는 말도 사용하고 있다(김상준 외, 1999). 프리젠터가 하는 일은 뉴스 캐스터,

MC, DJ 등으로 정확하고 표준적인 언어를 구사할 것을 요구받고 있으며, 프리젠터를 선발하는 기준은 방송에서 표준영어 사용과 적절한 표현 능력이다.

미국

미국은 1960년대까지 아나운서라는 직업명을 사용했다. 그러나 지금은 아나운서, MC, DJ, 캐스터 등 전문화된 명칭을 사용하는 것이 관례로 돼 있다. 칼 하우스만 등이 저술한 『아나운싱』에는 아나운서라는 직업명을 다양하게 사용하고 있다(Hausman et al., 2000).

중국

중국은 파음원(播音員)이라는 직명으로 사용하고 있다. 특히 중국전매대학교(Communication University of China)는 아나운서학과(播音系)를 개설해서 운영하고 있다. 중국전매대학은 베이징 시내 차오양구(朝阳区)에 위치하고 있으며, 아나운서학과는 1980년 설립 후 방송 분야에 2000여 명의 졸업생을 배출했다. 2000여 졸업생들은 현재 중국의 여러 방송 매체에서 전문 아나운서 혹은 사회자로 근무하고 있으며, 중국의 지상파방송사(CCTV, B-TV) 사장, PD, 연기자 등 방송인의 80%를 차지하고 있다(김상준, 2008).

중국 조선족 방송

중국 옌벤(延邊)방송을 비롯한 하얼빈, 베이징 등 조선족 방송에서는 한국어 방송을 하고 있다. 이곳의 아나운서는 중국식으로 파음원과 북한식 명칭인 방송원(放送員), 한국식 명칭인 아나운서라는 직명을 함께 사용하고 있다.

북한

북한은 방송원이라 하고 있다. 특히 북한에서는 예술인들에게 주는 인민방송원과 공훈방송원 칭호를 주고 있다. 이 제도는 1966년 7월 1일 제정됐는데, '정치사상적으로 견실하며 방송선전사업에서 튼튼한 공훈을 세워 인민의 사랑과 존경을 받는 재능 있는 방송인들에게 수여하는 칭호'라 설명하고 있다. 북한의 아나운서들은 화술에 능통하면서 실력 있고 당성이 강한 최고의 엘리트로 대접을 받고 있다(박재용 외, 1988). 북한의 리상벽 아나운서는 인민방송원으로 북한 방송인들의 우상이었다.

참고문헌

김상준(1997). 『NHK 일본어 관련 조사연구 보고서』. KBS 아나운서실.

김상준(1999). 『BBC 영어 관련 조사연구 보고서』. KBS 아나운서실.

김상준(2008). 『한국어 아나운싱과 스피치』. 커뮤니케이션북스.

김성호(1997). 『한국방송인물 지리지』. 나남.

김성호(2007). 『장기범 평전』. 지식산업사.

박재용 · 김영황(1988). 『방송원화술』. 평양 예술교육출판사.

Carl Hausman, Lewis O'Donnell & Philip Benoit(2000). *Announcing*, 8th edition. Wadsworth Publishing, a division of Thomson Learning, Inc. 김상준 · 박경희 · 유애리 옮김(2004). 『아나운싱』. 커뮤니케이션북스.

Seoul Digital Forum(2005). *QUO VADIS UBIQUITOUS.* In Mind Communication.

https://www.google.co.kr

https://en.wikipedia.org

02

아나운서의 발성과 발음

앨버트 머레이비언은 우리가 메시지를 전달할 때 목소리는 38%, 보디랭귀지는 55%, 말하는 내용은 겨우 7%의 비중을 차지한다고 했다. 이것은 머레이비언 법칙이라고 해서 시각 55, 청각 38, 언어 7로 배분하기도 한다. 무슨 말을 하든지 목소리가 좋으면 메시지 전달에 3분의 1 이상 성공한 것이라는 말처럼 발성과 발음은 아나운서의 성공 조건이다.

호흡

호흡(呼吸, respiration)이란 날숨인 호식(呼息, expiration)과 들숨인 흡식(吸息, inspiration)을 말한다. 호식과 흡식 중에서 발성은 거의 대부분 호식에 의해 이뤄진다. 사람은 1분에 약 16회 숨을 쉰다. 뉴스 낭독을 한다면 1분에 17~18회 숨을 쉬면서 350 내지 370음절을 표출할 수 있기 때문에 20내지 25음절마다 들숨, 즉 흡식으로 산소를 공급해야 할 것이다.

북한에서 발행된 리상벽(1975)의 『조선말 화술』에서는 호흡 훈련을 체계적으로 해서 폐활량을 늘릴 것을 권하고 있다. 폐활량이 크면 숨쉬기가 자유롭고 고르게 소리를 낼 수 있다는 것이다.

낭독을 하거나 말을 할 때는 중간에 완전한 호흡, 즉 날숨과 들숨을 함께하는 것이 아니라 중간 중간에는 가볍게 들숨을 쉬고 마지막 마무리에서 충분한 들숨을 쉰 뒤 낭독으로 들어가면 된다. 이때 들숨은 코와 입으로 동시에 해서 잡음이 나지 않도록 조심해야 한다.

소리의 생성

인간의 음성은 성대(聲帶, vocal cords)가 근원지다. 코의 뒤, 즉 식도의 입구인 후두에서 생성된다. 성대의 진동

그림 1 인간의 성대와 공명기관은 바이올린의 현과 몸통에 해당한다.

은 남성의 베이스와 여성의 소프라노까지 1초에 64회부터 1024회까지 다양하다.

성대는 바이올린의 현(絃)에 비교할 수 있다. 폐에서 나오는 공기는 바이올린의 활(弓)과 같다. 바이올린의 활이 현을 마찰해야 소리가 나오는 것처럼 성대라는 현을 공기가 마찰해야 발성이 된다.

생성된 소리를 키워 주는 곳은 공명강(resonance tube)이다. 공명강은 바이올린의 동체와 같이 인두, 구강, 비강이 주를 이룬다. 원음을 듣기 좋은 소리로 만들기 위해서는 좋은 공명이 있어야 한다.

그림 2 조음기관

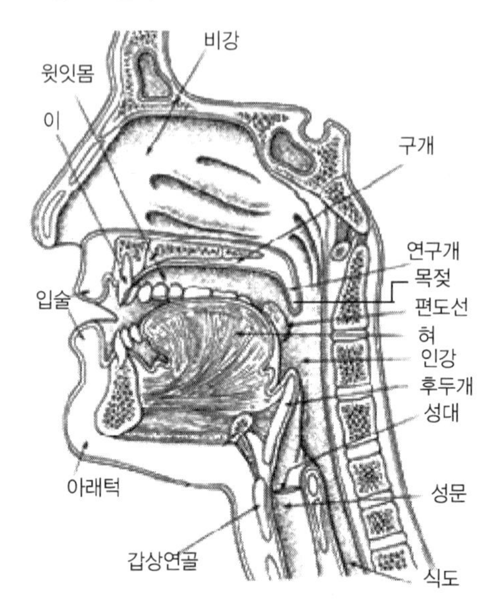

출처: 김상준(2007). 『스피치 커뮤니케이션』. 도서출판 역락.

다음은 조음기관(speech organ)의 모습이다.

음질과 음색

음질(音質, quality of sound)은 음색 혹은 소리맵시라는 말로도 표현한다. 음색(tone color)이란 음을 들을 때 생기는 심리적 기본 인상의 하나다. 소리의 크기와 높이가 같은 경우라도 두 음이 다르게 느껴질 때는 음색이 달라서 그렇다.

남자 목소리의 기본 주파수는 100~150㎐, 여성은 200~250㎐다. 100㎐는 1초에 성대가 100번 진동한다는 것을 의미한다. 소리가 높아질수록 주파수가 높다. 일반적으로 깊은 목소리에서는 우월성, 전문성, 유능함이 묻어나고, 날카로운 목소리는 불안, 흥분, 괴팍함을 드러내는 것으로 알려져 있다.

목소리는 외모와 함께 첫인상을 좌우하는 주요 변수다. 목소리를 통해 카리스마가 발현되기도 하고 타인을 설득하는 힘이 생긴다. 조선 시대에는 느리고 낮은 음으로 늘어지는 목소리를 가져야 양반다운 것으로 인식됐다고 한다.

미국인은 약간 높은 음의 영국 악센트를 선호한다. 북한에서는 전투적인 기백이 강하고 선동적인 목소리로 방송하도록 방송원들을 교육하고 있다(박재용 외, 1988).

좋은 소리를 위한 발성법

좋은 목소리는 선천적인 자질도 중요하지만 대부분 후천적으로 만들어지는 것이다. 그것도 발성기관에서 나온 소리를 부드럽게 하고, 둥근 느낌이 들면서 듣기 좋은 울림을 내는 것은 공명강이다.

공명강은 하나의 발음체가 내고 있는 소리의 세력을 다른 발음체가 흡수해서 울림이 증폭되는 것을 의미한다. 원래 성대의 진동으로 생긴 소리는 작고 음색이 거의 없다. 이 소리가 공명강을 지나면서 울림이 커지고 성대에서 생긴 진동이 전달돼 배음이 첨가됨으로써 음이 더욱 아름답고 크게 되는 것이다.

좋은 바이올린의 비밀은 공명판에 있다고 한다. 공명판(共鳴板, soundboard)이란 현악기의 현 바로 아래 얇은 나무판이나 팽팽한 피막의 겉판으로 현의 배음(倍音, harmonic tone)에 공명해서 음을 낼 수 있게 고안된 나무판이다.

바이올린과 같은 악기와 비슷한 효과가 사람의 목소리에서도 생긴다. 인체에서 악기의 공명판 역할을 하는 것이 바로 구강과 인두강, 비강이라고 할 수 있다. 넓은 의미에서 본다면 우리 몸 전체가 공명강이라고 할 수 있으나, 목소리의 특성을 좌우하는 가장 기본적인 공명 기관은 바로 이 세 가지다(박경희, 2005).

표준 영국 영어는 BBC 아나운서와 로열셰익스피어극단(Royal Shakespeare Company) 배우들의 말에서 찾을 수 있다고 한다. 필자는 1999년 영국 런던의 로열셰익스피어극단을 찾아 배우들에게 발성법을 가르치는 것을 견

학했다. 당시 발음 지도 강사인 린다(Mrs. Linda) 교수로부터 품위 있는 영국 영어의 실체를 확인했다. 우리가 일반적으로 알고 있는 것처럼 셰익스피어극단의 연기자들은 자신들이 사용하고 있는 영어가 표준 영어라고 자부하고 있었다.

방문 당시 린다 교수는 발음에서 불필요한 비음을 없애는 방법을 배우들을 모델로 해서 시연했다. 비음을 없애는 방법은 두 손가락으로 콧볼을 누르고 배에 힘을 주면서 콧소리가 나지 않도록 하는 것이다(김상준 외, 1999). 로열셰익스피어극단에서 콧소리 제거 연습용으로 사용하는 문장은 'This is the house'였다. 이 말을 코를 막고 콧소리가 나지 않게 하기란 쉽지 않다.

한국어에서 콧소리를 없애는 훈련을 하려면 '이곳이 그 집이다'라는 문장을 코를 막고도 콧소리가 나지 않도록 연습하면 된다.

다음은 조음기관과 공명 기관을 활용한 발성의 요점을 정리한 것이다(김상준, 2005).

- 전신의 힘을 빼고 머리를 전후좌우 여러 방향으로 돌리면서 어깨와 목의 긴장을 푼다.
- 혀를 내밀거나 입안에서 돌리는 혀 운동을 주기적으

로 한다.

- ‘아’ 하는 큰 한숨을 쉰 뒤 가장 낮은 소리에서 글을 읽는 연습을 한다.
- 공기 공급은 목이 아니라 가슴에서 한다는 느낌이 들도록 흉복식(횡격막) 호흡을 한다.
- 몸의 어떤 부위건 스트레스를 피하고 자유로운 자세에서 발성해야 한다.
- 가성대(false cords)의 가성(feigned voice)이 아닌 진성대(true cords)의 지성(地聲, natural voice)을 사용해 발성한다.
- 비음이 섞이지 않는 말을 골라 코를 막고 비음을 내지 않도록 연습한다.
- 금연하고 물을 자주 마셔서 적당한 습도를 유지해야 한다.
- 감기 중에는 목소리 사용을 자제하고, 잔기침도 가능하면 피한다.

발음법

정확하고 분명한 발음은 아나운서가 갖춰야 할 기본이다. 1988년 고시된 한국어의 표준발음법은 모두 7장 30항으로 돼 있다. 표준발음법은 한국어의 기본 소리, 즉 음운을

그림 3 모음 사각도

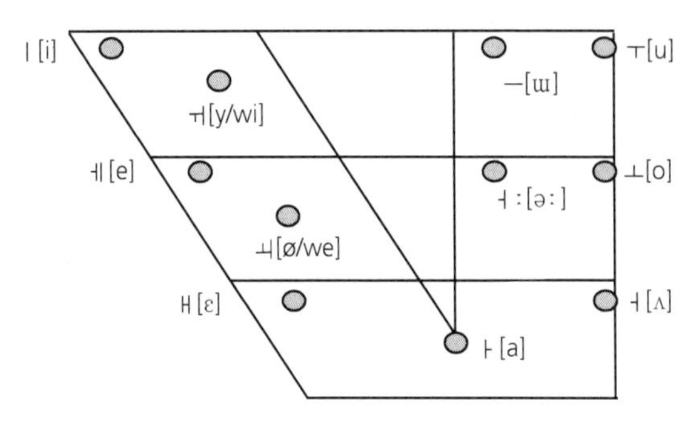

출처: 김상준 외(2008). 『표준 한국어 발음사전』. 지구문화사.

40개로 규정하고 있다. 그중에 자음은 기본자음 14개에 경음으로 소리 나는 겹자음 5개를 합해 모두 19개의 소리를 가지고 있으며, 모음은 21개다.

한국의 표준말과 표준 발음은 지역적으로 살펴보면 바로 서울과 경기 지역, 즉 중부 지역에서 쓰이는 말과 발음을 뜻한다. 전 국민의 공통어적인 표준말이 없고 지역 방언이 난립한다면, 마치 도량형의 기준이 없어 지역마다 길이와 무게의 척도가 다른 데서 빚어지는 혼란에 비유할 수 있을 것이다. 또한 동일한 악보를 놓고 연주자에 따라 전혀 다른 음악으로 연주하는 혼란에 비유할 수도 있을 것이다.

표 1 가갸표

모음 / 자음	ㅏ	ㅑ	ㅓ	ㅕ	ㅗ	ㅛ	ㅜ	ㅠ	ㅡ	ㅣ
ㄱ	가	갸	거	겨	고	교	구	규	그	기
ㄴ	나	냐	너	녀	노	뇨	누	뉴	느	니
ㄷ	다	댜	더	뎌	도	됴	두	듀	드	디
ㄹ	라	랴	러	려	로	료	루	류	르	리
ㅁ	마	먀	머	며	모	묘	무	뮤	므	미
ㅂ	바	뱌	버	벼	보	뵤	부	뷰	브	비
ㅅ	사	샤	서	셔	소	쇼	수	슈	스	시
ㅇ	아	야	어	여	오	요	우	유	으	이
ㅈ	자	쟈	저	져	조	죠	주	쥬	즈	지
ㅊ	차	챠	처	쳐	초	쵸	추	츄	츠	치
ㅋ	카	캬	커	켜	코	쿄	쿠	큐	크	키
ㅌ	타	탸	터	텨	토	툐	투	튜	트	티
ㅍ	파	퍄	퍼	펴	포	표	푸	퓨	프	피
ㅎ	하	햐	허	혀	호	효	후	휴	흐	히

출처: 김상준(2008). 『한국어 아나운싱과 스피치』. 커뮤니케이션북스.

표준 발음의 단모음에 대한 연습은 모음사각도를 보면서 하는 것이 좋다. 그리고 자음과 모음을 동시에 연습하기 위해서는 '가갸표'를 좌우, 상하 등으로 연습하는 것이 좋다(김상준, 2008).

참고문헌

김상준 외(1999). 『BBC 영어 관련 조사연구 보고서』. KBS 아나운서실.

김상준 외(2005). 『화법과 방송언어』. 도서출판 역락.

김상준 외(2008). 『표준 한국어 발음사전』. 지구문화사.

김상준(2008). 『한국어 아나운싱과 스피치』. 커뮤니케이션북스.

리상벽(1964). 『화술통론』. 평양 조선문학예술총동맹출판사. 서울 탑출판사 재발행.

리상벽(1975). 『조선말 화술』. 평양 사회과학출판사 발행. 서울 탑출판사 재발행.

박경희(2005). "방송인의 호흡과 발성". 『화법과 방송언어』. 도서출판 역락.

박재용 · 김영황(1988). 『방송원화술』. 평양 예술교육출판사.

03

아나운싱의 개념

방송 아나운싱의 기본은 뉴스라고 할 수 있다. 방송에서 뉴스가 제대로 되지 않으면 MC나 DJ, 중계방송 등도 잘 될 리 없다. 그만큼 뉴스는 모든 방송의 기본이 되는 것이다. 아나운서들의 뉴스나 내레이션처럼 낭독을 중심으로 한 아나운싱은 음성 표현 예술이라고 할 수 있다. 좋은 아나운싱을 위해서는 성악가들에 못지않은 연습과 자기 연마가 필요하다.

아나운싱의 정의

아나운싱(announcing)이란 방송인들이 방송에서 음성언어를 통해 정보나 지식을 고지하거나 의사를 전달하는 것으로 '방송화법'이라고 할 수 있다. 영어 '아나운싱'은 '고지하다', '발표하다', '전달하다'라는 뜻으로 쓰이는 동사 '아나운스(announce)'의 명사형이다.

커뮤니케이션학에서는 아나운스라는 말과 비슷한 의미로 커뮤니케이트(communicate), 프리젠트(present), 딜리버리(delivery)라는 말도 사용한다. 명사형으로는 커뮤니케이터, 프리젠터를 사용하기도 한다. '커뮤니케이트'는 사상 · 지식 · 정보 등을 '전달하다, 통보하다'라는 뜻이고, '프리젠트'는 '진술하다', '말하다'라는 뜻이 있다. 프리젠트하는 사람을 뜻하는 '프리젠터'는 영국 BBC가 주로 사용하고 있다. BBC에서 프리젠터가 하는 일은 뉴스 캐스터, MC, DJ 등이다. BBC의 프리젠터는 정확한 표준 언어를 구사할 것을 요구하고 있으며, 프리젠터를 선발하는 기준은 방송에서 표준 영어 사용과 적절한 표현 능력이다(김상준 외, 1999). '딜리버리'라는 말은 명사로 '배달, 전달'의 의미가 있다.

아나운싱과 관련 있는 '방송에서 말하기'라는 의미를 가진 말을 한국에서는 '방송화법'이라고 하며, 북한에서는

그림 1 방송 뉴스 아나운싱 장면

ⓒ 커뮤니케이션북스

주로 '방송화술'이라고 한다. 또한 '방송에서 표현하는 말'이라는 의미의 용어로는 '방송언어'라는 말을 사용해 왔다. 김상준(2004)은 『방송언어론』에서 방송언어(broadcasting language)는 방송을 통해 표출되는 모든 말을 뜻하며, 그것은 입말인 음성언어(spoken language)와 글말인 문자언어(letter language)로 나뉘는데, 일반적으로 방송에서 사용하는 음성언어를 말한다고 했다. 또한 그보다 더 하위 구분을 하면 일상 언어와 상대적인 개념의 방송언어로, 일반인이 아닌 방송인이 방송에서 사용하는 말을 의미한다고 규정했다.

이 경우 방송언어라는 말로는 아나운스하기, 즉 방송에서 말하기라는 능동적인 의미를 나타내기 어려워서 '아나운싱'이라는 표현을 사용하게 된 것이다. 하우스만의 '아나운싱'에서는 아나운싱과 커뮤니케이팅을 동의어로 사용하고 있다. '아나운싱'에서는 아나운스와 같은 개념으로 전달 혹은 내레이션(narration)이라는 말을 사용하고 있다(Hausman, et al., 2000). 또한 방송 메시지의 전달(communication the message) 항목에서는 방송을 준비하면서 원고를 읽는 행위를 원고 읽기(reading copy)라는 말로 표현하고 있다.

아나운싱의 장르와 서체의 비교

방송 아나운싱은 다섯 개의 장르 (genre)로 나눌 수 있다. 장르Ⅰ은 뉴스, 장르Ⅱ는 내레이션, 장르 Ⅲ은 MC · DJ, 장르 Ⅳ는 중계방송으로 나눌 수 있다. 이상의 장르는 방송의 주된 형식이다. 그러나 본격적인 방송 아나운싱은 아니지만, 쇼 프로그램이나 드라마, 교양 방송 등에 수시로 등장하는 시 낭송과 같은 형식의 방송은 장르Ⅴ로 분류할 수 있을 것이다.

방송 아나운싱은 소리만 있을 뿐이어서 형태가 보이지

않는다. 그러나 회화나 조각 등 미술 작품과 서예 작품은 빛을 통해 형태가 드러난다. 빛과 소리는 전혀 관계가 없는 것이 아닐 것이다.

아나운서들은 오래전부터 소리를 기반으로 한 방송과 빛을 기반으로 한 서체를 비교하면서 아나운싱에 대한 교육을 해왔다. 서예에서 문자를 쓰는 방법과 붓을 쥐는 방법, 그리고 운필법(運筆法) 등 서법(書法)을 익히는 절차탁마(切磋琢磨)의 과정 또한 아나운싱을 위한 훈련과 다를 바 없다고 할 것이다.

서예에서 서체(calligraphy style)는 고대 상형문자에서 발달한 전서(篆書)를 비롯해서 한나라 때의 예서(隸書), 일점 · 일획을 정확하게 독립해서 쓰는 해서(楷書)가 있다. 그리고 해서를 약간 흘려서 쓰는 행서(行書), 이들 글자의 일부 자획을 생략해서 흘림글씨로 쓰는 초서체(草書) 등 5체가 있다.

아나운서들의 뉴스나 내레이션처럼 낭독을 중심으로 한 아나운싱을 'Announcing Art', 즉 음성 표현 예술로 보고, 아나운싱과 서예의 5체를 비교한다면 다음과 같은 설명이 가능할 것이다.

아나운싱 장르 Ⅰ. 뉴스-해서

아나운싱의 다섯 장르 중 뉴스는 장르 Ⅰ로 분류한다.

뉴스는 서예의 해서(楷書, square-hand style character)와 같다. 해서는 정자체(正字體)라고도 한다. 서예에서는 해서를 완벽하게 해야 다른 서체(書體)로 들어갈 수 있다. 더구나 해서와 같은 기본을 잘 하지 못하면서 초서와 같은 어려운 서체로 들어갈 수는 없다.

방송에서는 뉴스가 제대로 되지 않으면 MC나 DJ, 중계방송 등이 제대로 될 리 없다. 그만큼 뉴스는 모든 방송의 기본이 되는 것이다. 모든 방송의 기본이 되는 뉴스처럼 모든 서체의 기본은 해서체라고 할 것이다. 서예의 해서는 그림에서의 데생이나 풍경화와 같다. 그리고 사물을 있는 그대로 묘사하는 구상화(具象畵)나 사실화(寫實畵)와 같은 것이다.

피카소는 흔히 추상화만 하는 작가로 아는 사람들이 많다. 그러나 그의 그림에는 사진과 비교할 수 있을 정도의 사실적인 그림도 많다. 특히 어린 시절에 그린 인물화나 풍경화 등은 사진처럼 보이기도 한다. 데생과 사실화를 완벽하게 하면서 추상화를 한 피카소는 그런 의미에서 진정으로 위대한 화가라고 할 것이다(김상준, 2008). 방송언어의 발음과 발성, 억양, 인토네이션 등을 잘 갖춘 방송은

그림 2 해서 - 구양순의 <구성궁예천명>

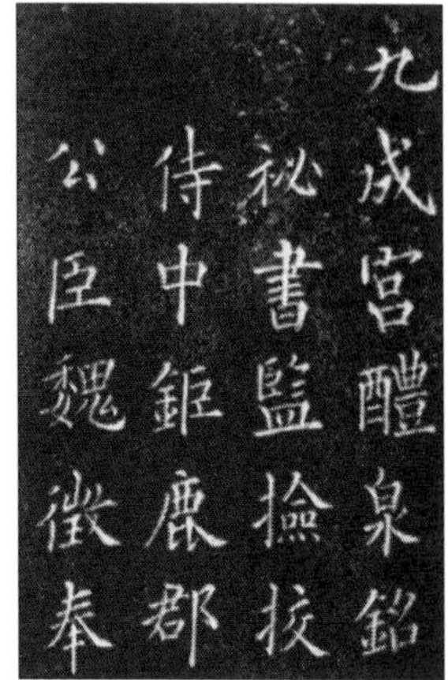

출처: 임태승(2006), 『중국서예의 역사』, 미술문화.

기본적인 데생과 묘사에 충실한 사실적인 회화에 비교할 수 있을 것이다. 사실주의 미술(realistic art)은 실재하는 현실을 주관적으로 변형하거나 왜곡하지 않고 객관적으로 충실하게 반영한 작품이다.

추사 김정희 선생은 서예의 시작은 해서로부터 시작하라고 권유하면서 그중에서도 구양순의 〈구성궁예천명〉이 해서의 대표가 될 만하다고 했다. 추사의 말을 방송에 적용한다면 방송은 뉴스로 시작해서 뉴스로 마무리할 수 있어야 한다.

〈그림 2〉는 구양순(歐陽詢, 557~641)의 76세 때 작품인 〈구성궁예천명(九成宮醴泉銘)〉으로 비문 탁본이다. 〈구성궁예천명〉은 당태종의 구성궁에 있는 단맛이 나는 샘물을 예찬한 글이다.

정확한 발음, 알맞은 크기, 적절한 속도로 음성언어의 조건에 맞는 방송은 '아나운싱 아트'라는 말로 표현할 수 있을 것이다. 아나운싱 아트 중에서도 작품성이 있는 대표적 방송은 서예의 해서와 비견되는 뉴스라고 할 수 있으며, 뉴스 중에서도 라디오 뉴스라고 할 수 있다.

아나운싱 장르 II. 내레이션-예서

내레이션은 아나운싱의 다섯 장르 중 장르 Ⅱ로 분류한다.

방송의 아나운싱 중 내레이션은 서예에서의 예서(隸書, ornamental seal style character)와 같다. 예서는 장식적인 서체로 작가에 따라 운필이 달라진다. 서예에서 예서는 상형(象形)의 회화적 요소를 벗어버리고 문자의 기호적 요소가 완성된 서체다. 마찬가지로 방송의 내레이션은 내레이터가 작품의 내용에 따라 소리의 크기와 속도, 억양과 음색을 달리하면서 개성을 살려 방송할 수 있다. 서예의 예서처럼 멋을 부릴 수도 있다는 말이다.

그림 3 예서 - 광개토대왕 비문

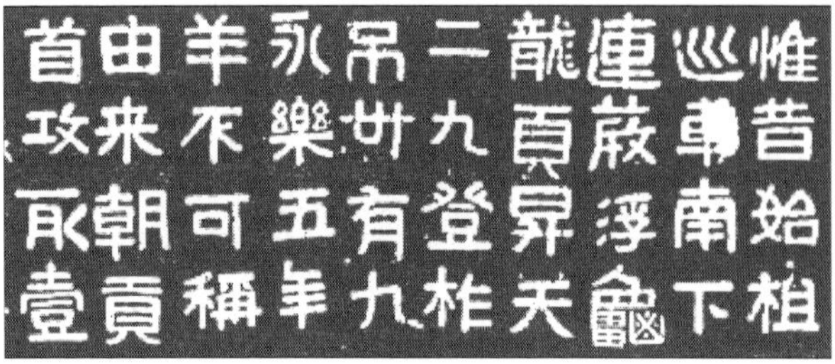

출처: http://search.naver.com/search.naver?

〈그림 3〉은 전한(前漢) 시대 예서로 제작된 고구려 광개토대왕의 업적을 기록한 비문의 일부다. 이 비석은 서기 414년 광개토대왕의 아들인 장수왕이 선왕의 업적을 칭송하기 위해 세운 비석으로 중국 지린성 지안시에 있으며, 4면에 걸쳐 1802자가 기록돼 있다. 중국 대륙을 내달렸을 광개토대왕과 선인들을 상상하면서 민족의 역사를 내레이션한다고 생각해 보자. 저절로 광활한 대지와 웅장한 산천에 어울리는 소리를 낼 수 있을 것이다. 내레이션은 약간의 장식이 가미된 서예의 예서처럼 개인적인 취향, 즉 맛과 멋을 더할 수도 있다.

아나운싱 장르 III. MC·DJ-행서

방송의 MC · DJ는 아나운싱 장르 Ⅲ로 분류한다.

방송에서 DJ나 MC 아나운싱은 서예의 반흘림체인 행서(行書, semi-cursive style character)처럼 뉴스와 내레이션, 대화와 인터뷰 등으로 멋을 부릴 수도 있다. 그러나 행서가 반흘림체라고 해서 DJ나 MC 멘트가 흘리는 말투라는 것은 아니다. 행서는 일반인들이 썼던 필기체의 중심 역할을 하게 된 서체이기도 하다. 원래는 예술을 위한 글쓰기, 즉 서예가 아니라 생활 속에서 만들어진 필체라는 것이다. 마찬가지로 MC나 DJ는 생활 속에서 말하듯이 자연스러우면서도 아나운싱 아트로서의 언어 표현을 해야 할 것이다.

〈그림 4〉의 행서는 서성(書聖)으로 불리는 중국 동진(東晉)시대 왕희지(王羲之, 307~365)의 〈난정서(蘭亭書)〉다. 역대 서예가들이 천하제일 행서로 꼽는 왕희지의 산문인 〈난정서〉는 서기 353년 3월 3일, 41인의 선비들이 회계산(會稽山) 정자에 모여 술을 마시면서 지은 글로 문집을 만들고 왕희지가 서문을 쓴 것이다.

이 글에는 우선 계절에 따라 변화하는 자연의 경치를 묘사하고 모인 사람들의 감상을 적었는데, 소리와 색이 어울려 성대한 모임을 부각시키고 있다. 또한 성대한 일도

그림 4 행서 - 왕희지의 <난정서>

출처: 전규호(2009), 『서예감상과 이해』, 명문당.

영원하지 못하고 길고 짧은 것도 서로 변하듯이 흥이 다하면 슬픔이 온다는 감상을 표현했다. 마지막에는 서를 지은 연유를 밝혀 후대 사람들에게 감흥과 회포를 제공했다. 문장은 당시 성행하던 허무주의 사상과 언론을 비판하며 현실에 대한 낙관적인 자세를 중시하고, 구차하게 살아가기를 바라지 않는다는 맑은 태도를 드러내고 있다.

행서만이 아니라 서예사상 금자탑을 세운 이 〈난정서〉는 유연하게 부드러우면서도 힘을 느끼게 하는 운필로 음악성을 갖춘 아름다운 아나운싱의 선율을 느끼게 한다. 가슴속에 자리 잡고 있는 소리와 빛이 동시에 우러나는 것과 같은 이치일 것이다.

왕희지의 글을 보면서 방송에서만이 아니라 결혼식의 주례사가 〈난정서〉와 같은 수준이면 어떨까 생각해 본다. 법도가 있으면서도 가슴에 와 닿는 말로 신랑신부의 장래를 진정으로 축하하고 인생을 살아가는 데 귀감이 되는 말이라면 〈난정서〉에 비교할 수 있을 것이다.

아나운싱 장르 Ⅳ. 중계방송-초서

아나운싱 장르 Ⅳ는 중계방송으로 분류한다.

중계방송을 서예의 초서에 비교하는 것은 초서(草書, cursive, grass style character)가 서예의 정상부에 해당하는 기교를 필요로 하기 때문이다. 초서는 흘림서체라고 해서 풀잎이 바람에 날리듯이 흘려서 쓰는 글자다. 오늘날 초서는 예술적 서체로서의 가치를 인정받고 있다. 중계방송은 현장 상황 묘사와 해설자가 나누는 대담 등 모든 형태의 언어 표현을 아우르는 형태의 방송이다.

〈그림 5〉의 작품은 당나라 회소(懷素, 725～785)의 서기 777년 작품 〈자서첩(自敍帖)〉으로 역대 초서의 대표작으로 꼽히는 작품인데 내용은 다음과 같다.

"懷素家長沙 幼而事佛 經禪之暇 頗好筆翰 然恨未能遠覩前人之奇迹 所見甚淺 遂擔(회소가장사 유이사불 경선지가 파호필한 연한미능 원도전인지기적 소견심천 수담: 회소는 장사에 살면서 어려서 부처를 섬겼으며 독경과 참선하는 여가에 글쓰기를 좋아했다. 그러나 멀리 전인들의 기이한 자취를 보지 못하고 볼 수 있는 것이 매우 얄팍해서 책 상자를 메고,〈이후 "석장을 짚고 상국을 유람했다"부터 생략〉)

이 글을 보고 있노라면 폭풍우 같은 기개와 천군만마가 기세등등하게 치달리는 형세의 운필로 자유롭고 호방함을 느끼게 한다. 중계방송은 장강대하(長江大河)와 같은 중후한 음성으로 현장 상황을 묘사하고 해설자와 깊이 있

그림 5 초서 -회소의 <자서첩>

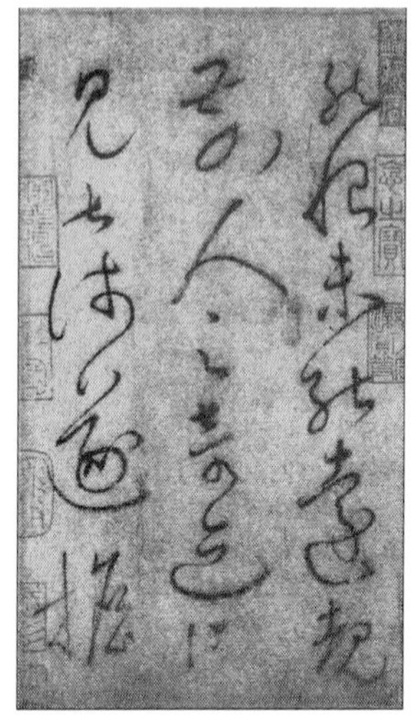

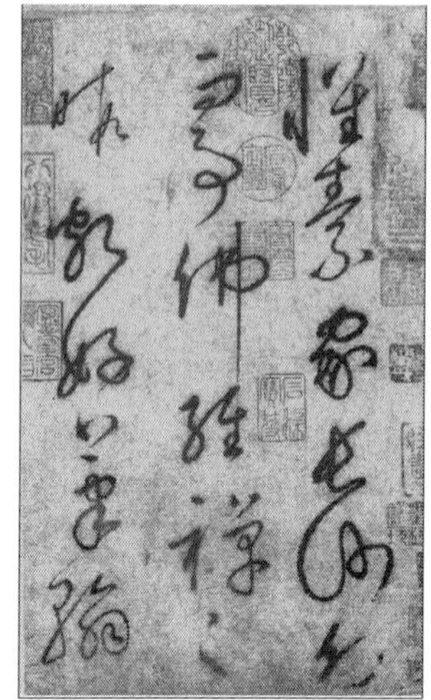

출처: 임태승(2006), 『중국서예의 역사』, 미술문화.

는 해설을 나누어야 하기 때문에 법도에 맞으면서도 활발한 운필을 생명으로 하는 초서와 같아야 한다.

중계방송 이외에도 1919년 육당 최남선(六堂 崔南善, 1890~1957)이 쓴 〈기미독립선언서〉도 낭독을 한다면 초서에 비교할 수 있을 것이다. 육당의 〈기미독립선언서〉는 우리 민족에 대한 독립 정신의 고양은 물론이고, 일제가 식민정책을 포기해야 함을 강력하게 설득하기 위한 강건체 문장이다. 민중의 마음을 불러일으키기 위한 호소와 양식 있는 세계인들에게 조선 독립의 필요성을 납득시키기 위한 다양한 수식어가 감동적으로 이어지는 화려체 문장이다. 또한 일제의 한반도 점령과 식민정책에 대한 부당함을 역설하기 위한 다양한 비유가 이어지는 만연체 문장이다.

〈기미독립선언서〉는 1919년 3월 1일 3·1운동을 기해 민족 대표 33인이 한국의 독립을 내외에 선언한 글이다. 이 글은 최남선이 일본 경찰의 눈을 피하기 위해 광문회(光文會) 임규(林圭)의 일본인 부인의 안방에서 3주일 만에 작성해 최린에게 전달했다. 최린은 손병희 등의 동의를 얻어 2월 27일까지 민족대표 33인의 서명을 받았다. 선언서 뒷부분에 첨가된 공약 삼장(公約三章)은 한용운(韓龍雲)이 따로 작성했다고 한다.

한편 민족 대표들은 3월 1일 아침 인사동 태화관(泰和館)에 모여 독립선언서 100장을 탁상에 펴 놓고 찾아오는 사람에게 열람하게 했다. 오후 2시 정각이 되자 한용운이 일어나 이를 낭독한 다음 일동이 대한독립만세를 삼창하고 축배를 들었다. 이날 같은 시각인 오후 2시 탑동공원에서는 각급 학교 학생과 시민 약 5000명이 모인 가운데 경신학교 출신 정재용(鄭在鎔)이 선언서를 낭독했다. 정재용이 선언서를 낭독하자 만세 소리가 울려 퍼지고, 작은 태극기와 선언서가 하늘에서 내리는 꽃비처럼 쏟아졌다. 공원에 모인 군중들은 모자를 벗어 허공에 던지며 미친 듯이 기뻐했다. 이 때 성안과 지방의 백성들도 합세해서 수만의 군중이 참여했다고 한다.

일제의 총칼 앞에 만세를 부르면서 맨주먹으로 돌진할 수 있었던 원동력은 선언서의 설득력 있는 문장과 정재용의 장강대하와 같은 연설 형태의 선언문 낭독 때문이었을 것이다. 선언문은 음성언어적으로는 장단음을 적절하게 배합해서 강약과 완급의 조화를 이뤄 낭독의 묘미를 극대화하고 있으며, 악센트와 억양, 인토네이션까지도 염두에 두고 작성함으로써 감동을 불러일으키는 문장이다. 따라서 천군만마가 질풍노도처럼 달리는 기백으로 일제의 식민 폭정에 느낌으로 낭독할 수 있도록 구성한 명문이다.

아나운싱 장르 V. 시 낭송-전서

아나운싱 장르 V는 시낭송으로 분류한다.

방송에서의 시낭송은 서예의 전서(篆書, seal style character)에 비교할 수 있다. 전서는 도장을 새기듯 하는 서체다. 전서는 중국 주(周)나라 때 갑골문이나 금석문 등 고체를 정비하고 필획을 늘려 만든 서체다. 방송에서 시낭송은 들을 기회가 많지 않다. 낭독을 예술적인 경지로 승화시킨다면 전서와 같은 시 낭송이 되리라고 생각한다. 전서는 인장(印章) 서체라고도 한다. 시 낭송 역시 한 자 한 자 정성을 들여 도장을 새기듯이 해야 예술적인 음성 표현이 가능할 것이다.

〈그림 6〉은 756년 전후 중국 당(唐)나라의 문인이면서 서예가인 이양빙(李陽氷)의 전서(篆書) 〈삼분기(三墳

그림 6 전서 - 이양빙의 <삼분기>

출처: 임태승(2006), 『중국서예의 역사』, 미술문화.

記)〉다. 이양빙은 당대의 시선(詩仙)으로 알려진 이백(李白)의 종숙으로 전서에 뛰어났으며, 이백의 시집에 서문을 쓰기도 했다. 전서의 수준이 진나라의 이사(李斯)와 견줄 수 있다고 해서 '이이(二李)' 라고 불렀다. 전서와 같은 형태의 운치에 더해 웅장함을 느낄 수 있는 방송이라면 서사시(敍事詩, epic) 형태의 시 낭송이 적격일 것이다.

서사시는 일반적으로 민족이나 국가가 발흥기나 재건기에 있을 때 웅대한 정신을 신이나 영웅을 중심으로 해서 읊은 시가 많다. 내레이션도 중후한 표현이 필요한 작품에서는 영탄조에 가까운 표현을 함으로써 전서에서 찾아볼 수 있는 고풍스러움을 느끼게 할 수 있을 것이다.

참고문헌

김상준(2004). 『방송언어연구』. 커뮤니케이션북스.

김상준(2008). 『한국어 아나운싱과 스피치』. 커뮤니케이션북스.

김상준 · 박현우(1999). 『BBC 영어 관련 조사연구 보고서』. KBS 아나운서실.

임태승(2006). 『중국서예의 역사』, 미술문화.

전규호(2009). 『서예감상과 이해』, 명문당.

Carl Hausman, Lewis O'Donnell & Philip Benoit(2000). *Announcing*, 8th edition. Wadsworth Publishing, a division of Thomson Learning, Inc. 김상준 · 박경희 · 유애리 옮김(2004). 『아나운싱』. 커뮤니케이션북스.

04

방송언어론

우리는 연인끼리 속삭일 때는 프랑스 말이 아름답다는 말을 많이 한다. 프랑스 말이 아름다운 것은 프랑스 말의 문자언어가 아름다운 것이 아니라 음성언어가 아름답기 때문이다. 문자가 아닌 음성언어로서 프랑스 말의 아름다움은 프랑스의 일반 국민들은 물론 방송언어와 영화, 드라마 등 배우들의 말이 아름답기 때문에 더할 것이다. 한국어의 언어 정책도 표준발음법 등 음성언어적인 질을 높이는 데 신경을 쓰고 방송언어의 순화에도 많은 관심을 기울여서 아름다운 한국어, 힘 있는 한국어로 가꿔야 한다.

방송언어의 정의

방송언어(broadcasting language)는 방송을 통해 표출되는 음성언어(spoken language)와 문자언어(letter language)를 말한다. 방송언어는 일상 언어와 그 특징을 달리하면서 독특한 형태로 발전돼 왔다(김상준, 2004).

한국어는 2012년 현재 남한의 5000만 명과 북한의 2500만 명, 전 세계의 동포까지 합해 7800만 명이 사용하는 대단한 언어 세력을 가진 말이다. 이렇게 거대한 언중은 전 세계 3000여 개 언어 중 12위 내외라는 것이 언어학계의 정설이다. 따라서 일상 언어에 많은 영향을 미치는 방송언어의 순화와 표준화를 위한 노력을 더욱 많이 기울여야 한다. 특히 방송에 고정출연하는 아나운서를 비롯한 방송인이나 방송요원들은 방송언어에 대한 기본 소양을 갖춰야 한다.

뉴미디어와 방송언어

인간은 자신의 구체적 경험을 종류별로 분류하고 이를 언어로 추상화시켜 의사소통을 한다. 이는 인간이 상징을 사용해서 경험을 정리하고 의미를 나타내며, 이를 기반으로 타인과 커뮤니케이션을 한다는 뜻이다.

이것을 대인 커뮤니케이션이라 하는데, 대인 커뮤니케

이션의 내용은 언어적 커뮤니케이션(verbal communica tion)과 비언어적 커뮤니케이션(nonverbal communica tion)으로 나눌 수 있다(김상준, 2004).

미디어의 세계는 인쇄 매체(print media)의 발달에 이어 전파 매체(electronic media)의 등장으로 지구촌이라는 개념으로 세계를 변화시키고 있다. 전파 매체로 인해 인쇄 매체에서 볼 수 없었던 방송이라는 매체 중심의 대중문화(popular culture)가 형성되기 시작했다. 인간이 이룩한 전파 매체라는 기술 문명은 뉴미디어(new media) 시대에 접어들면서 대중문화라는 단순한 문화적 교감을 뛰어넘는 상상을 초월한 정보교환의 수단으로 변모하고 있다.

현재 전개되고 있는 뉴미디어의 세계는 방송과 통신의 융합과 함께 커뮤니케이션 행위의 변화와 혁신을 초래하고 있으며, 이러한 혁명적 변화는 인간의 사고방식과 의식구조, 생활양식뿐만 아니라 사회제도와 구조에도 영향을 미칠 것이다.

마셜 매클루언(Herbert Marshall McLuhan)은 커뮤니케이션은 곧 '인간 사회의 생존 양식(the way society lives)'이라고 했다(Schramm & Pye, 1963). 그는 커뮤니케이션이 배제된 인간 활동은 상상할 수 없다고 했다. 또한 인류 역사 속에서 커뮤니케이션은 개인과 개인, 또는 개인과 사회 간 관계의 조건을 결정해 주는 데 중심 역할을 수행해 왔다고 주장한다.

이러한 커뮤니케이션을 위한 네트워크 환경이 혁명적으로 변화하고 있는 가운데, 한국어를 기반으로 한 통신 언어 혹은 사이버 언어는 IT 시대의 괴물로 변해 가고 있다. 사이버 공간의 익명성으로 인해 빈번해지고 있는 언어폭력과 함께 외계 언어로 지칭되고 있는 사이버 언어는 심각한 문제로 떠오르고 있다. 가상공간에서 사용되는 무분별한 통신 언어는 건전한 언어생활을 하는 데 지장을 줄 수 있다(김상준, 2008).

방송언어의 조건

방송언어는 문어적인 특징보다 구어적인 특징을 더 많이 가지고 있다. 방송언어의 대표적인 형태는 뉴스 방송이다. 특히 뉴스 방송의 방송언어는 구어적인 특징은 물론 문어적 특징도 가지고 있다.

방송언어가 갖춰야 할 조건은 다음과 같다(김상준, 2004).

규범에 맞는 표준어

표준어란 국어를 대표하는 말로 교육이나 공적인 경우에 사용할 수 있도록 일정 기준에 따라 공통어를 세련시켜 규정한 이상형의 공용어다. 표준어는 교양 있는 사람들이 두루 쓰는 현대 서울말로 정하도록 했다(국어연구소, 1988). 한글맞춤법도 표준어와 관계가 밀접해서 표준어를 소리대로 적되 어법에 맞도록 함을 원칙으로 하고 있다. 특히 방송언어는 음성언어가 주된 말이기 때문에 표준어 규정의 표준발음법을 따라야 한다.

이해하기 쉬운 말

방송은 활자 매체처럼 기록성이 없어서 한 번 듣는 것으로 끝나기 때문에 쉬우면서도 전달이 잘 되는 말을 써야 한다. 또한 방송언어는 청각을 통한 전달에 의존하기 때문에 발음이 분명하면서 표준발음법에 맞아야 하고, 어려운 한자어나 외국어 등은 되도록 피해야 한다. 학술 용어를 사용하거나, 경기 용어 등 외국어나 한자어를 사용할 때는 충분히 이해하기 쉽게 풀어서 사용하도록 해야 한다.

시청자 중심의 경어

국어의 경어법에는 상대적으로 하대어도 분류돼 있으나, 드라마를 비롯한 특수한 경우를 제외하면 방송언어는 시청자 중심의 경어라야 한다. 그렇기 때문에 비록 국가원수에게라도 지나친 경칭을 쓰거나 시청자가 불쾌감을 느낄 정도의 경어를 쓰는 것은 피해야 한다. 어떤 경우든 방송인은 시청자를 대신해서 궁금한 것을 알아보거나, 오로지 시청자에게 알려 주는 것을 주된 임무로 해야 한다.

품위 있는 말

방송에서는 욕설이나 은어를 써서는 안 된다. 혹시 욕설이나 은어를 인용할 경우에도 조심해야 한다. 특히 신체적 결함을 상징하는 말을 쓸 때 조심해야 한다. 돼지새끼, 사슴새끼, 하마새끼 등과 같은 말은 새끼돼지, 새끼사슴, 새끼하마라고 하면 훨씬 부드럽고 귀여운 느낌이 드는 말이 된다. 우리 선조들은 가축들의 새끼를 송아지, 강아지, 망아지, 병아리 등 귀여운 말로 만드는 지혜를 발휘했다. 사람의 '새끼'를 아기로 부르고 있는 것도 선조들의 지혜라고 할 것이다.

수식어 사용의 억제

방송언어는 화려하거나 열변을 토하는 웅변조의 문장처럼 관형어나 부사어를 많이 쓰면서, 절이나 구가 중첩되는 긴 문장이어서는 곤란하다.

문체론으로 방송언어의 특징을 말한다면 강건체(nervous style)가 아닌 부드럽고 우아한 우유체(feeble style)이며, 화려체(flower style)가 아닌 건조체 혹은 평명체(plane style)이고, 만연체(loose style)가 아닌 간결체(concise style)라야 한다.

구어적 음운의 생략

문어보다 구어를 많이 사용하는 방송언어는 의미를 삭감하지 않는 범위에서 음운이나 음절을 생략하는 경우가 많다. '하여, 되어'의 경우는 '해, 돼' 형태의 생략형을 사용한다.

이름을 말할 때도 '이영호입니다. 이영미입니다'로 써 있더라도, 말로 표현할 때는 [이영홉니다, 이영밉니다]로 해야 한다. 마찬가지로 '박사입니다'는 [박쌉니다], '자리입니다'는 [자립니다], '바다입니다'는 [바답니다]로 발음한다.

감탄사의 억제

말하는 사람의 본능적인 놀람이나 느낌을 표시하는 말, 부르고 대답하는 말, 또는 입버릇으로 내는 말 등의 감탄사는 뉴스에서는 거의 사용하지 않는다. 왜냐하면 감탄사는 뒤따르는 말 전체에 화자, 즉 전달자의 감정이나 의지가 나타나게 하는 말이어서 객관성을 잃게 되기 때문이다.

조사와 용언의 제약

뉴스에서는 감탄사를 쓰지 않을 뿐만 아니라 조사의 사용에도 제한을 받으며, 활용어미도 일부 제한을 받는다. '이로다, 이구나, 이로구나' 등의 감탄형 어미나 '이여, 이시여' 등의 호격조사는 쓰이지 않는다. 또한 부사격조사 '-과, -하고, -이랑'도 격식체와 비격식체로 나뉜다. '-에게'와 '-한테'도 격식체와 비격식체로 나뉘면서 제약을 받는다.

간략한 수의 표현

방송에서는 수에 관한 표현이 많이 나온다. 방송에서 수는 개략적으로 표현하는 것이 더 효과적이다. 수의 표현도 주의를 기울여야 하는데, '일, 이, 삼, 사'는 한자어이기 때문에 별 문제가 없다. 그러나 우리말 고유어로 표현할 때는 '한, 두, 세, 네'와 '한, 두, 서, 너', '한, 두, 석, 넉' 등으로 구분하는 고유한 표현 방법이 있어 주의할 필요가 있다.

논리적인 표현

신문 문장이 소설에 가깝다면 방송 문장은 콩트에 가깝다. 한 편의 시에 비유한다면, 신문 문장은 산문시, 방송 문장은 외형률을 중시하는 정형시에 가깝다고 할 것이다. 방송 문장은 거의 모두 음성언어로 표현하는 것을 전제로 작성하기 때문에 전달자의 호흡과 억양 등 음성적 표현에 맞도록 짜인다. 그래서 소설이나 산문보다 시나 운문에 가까운 문장이라 할 수 있다.

참고문헌

국어연구소(1988). 『표준어 규정 해설』. 국립국어연구소.
국어연구소(1988). 『표준발음법 해설』. 국립국어연구소.
국어연구소(1988). 『한글 맞춤법 해설』. 국립국어연구소.
김상준(2004). 『방송언어연구』. 커뮤니케이션북스.
김상준(2008). 『한국어 아나운싱과 스피치』. 커뮤니케이션북스.
Schramm, W., & Lucian W. Pye(eds.)(1963). *Communication Development and Development Process.* New Jersey: Princeton University Press.

05

뉴스 아나운싱

라디오나 텔레비전에서 10분 내외의 뉴스를 리포트 없이 아나운서가 주로 전달하는 뉴스는 스트레이트 뉴스라고 한다. 이 스트레이트 뉴스는 음악성이 강한 뉴스라고 할 수 있다. '말은 음악'이라는 대명제를 염두에 둔다면 무미건조한 낭독은 뉴스의 기본이 아니다. 그래서 뉴스 낭독은 단순한 읽기가 아니라 리사이틀이라고 할 수 있다. 완성도 높은 방송을 위해서는 각고의 노력을 기울이면서 수많은 리허설을 거쳐야 한다.

뉴스 아나운싱의 특성

방송 뉴스는 방송의 장르와 전달 방법 등에 따라 다양한 형태로 나눌 수 있다. 낭독형 뉴스인 스트레이트 뉴스(straight news, brief news)는 대표적인 뉴스 형태로 문어체 요소가 강하다. 그러나 설명형 뉴스인 리포트 뉴스(report news)는 구어체 요소가 더 강하다.

방송보 도의 전달 양상과 형태 분류는 〈표 1〉과 같다(김상준, 1996).

표 1 방송 뉴스의 분류

<table>
<tr><th>뉴스의 종류</th><th>매체 및 전달 방법</th><th>특성</th></tr>
<tr><td rowspan="2">스트레이트(straight) 뉴스-낭독형 뉴스</td><td>라디오 뉴스</td><td>가장 오래된 형태의 뉴스
명료도가 높으며 섬세함
주로 아나운서가 전달함</td></tr>
<tr><td>텔레비전 뉴스</td><td>영상 위주의 활기찬 전달
주로 아나운서가 전달함</td></tr>
<tr><td rowspan="3">리포트(report) 뉴스-설명형 뉴스 (라디오 텔레비전 공통)</td><td>보고형 (briefing) 뉴스</td><td>설명형 뉴스의 대표적 형태
주로 기자가 전달함</td></tr>
<tr><td>묘사형 (description)뉴스</td><td>사건 · 사고 현장 상황 묘사</td></tr>
<tr><td>대화형 (dialogue) 뉴스</td><td>사건 · 사고 취재 후 방송 출연, 앵커와 문답형으로 진행</td></tr>
</table>

출처: 김상준(2008). 『한국어 아나운싱과 스피치』. 커뮤니케이션북스.

음성 표현을 위한 뉴스 문장

방송 뉴스 문장은 음성 표현을 전제로 한 문장이다. 그래서 정보문 · 보도문이 기본으로 가져야 할 특성은 물론, 구어체 문장의 특성과 문어체 문장의 특성을 모두 가지고 있는 특이한 형태의 문장이다.

같은 의미를 담고 있는 문장일지라도 '진행자가 음성으로 표현하기에 쉬운 문장', '청취자가 쉽게 듣고, 쉽게 이해할 수 있는 문장'을 취한다.

1920년 미국에서 첫 방송을 시작한 초창기 라디오방송의 기자들은 대체로 신문에서 사용하던 냉랭하고 건조한 문장을 사용했다. 그래서 뉴스 캐스터들이 뉴스를 전달할 때 긴 문장은 호흡이 모자라서 애를 먹었고, 뉴스를 다시 들을 수 있는 기회를 갖지 못한 청취자들은 뉴스를 제대로 이해하지 못해서 어려움을 겪었다(Stephens, 1997).

'말은 음악'이라는 말이 있다. 경력이 풍부하고 문장력이 있는 기자가 작성한 기사는 마치 우리의 시조나 민요시와 같은 리듬이 있어 낭독하기에 쉬울 수밖에 없다. 취재 경험이 없는 아나운서의 방송은 앵무새와 같은 낭독이라고 평가하는 사람들도 있다. 그러나 성악가들은 작곡가와 작사자 등 남이 써 준 악보를 개성 있는 곡조로 해석해서 리사이틀 한다. 그와 마찬가지로 아나운서도 문자언어라는 기호를 보면서 개성과 혼을 실어 리사이틀하는 음성 표현 예술가라고 할 수 있다. 훌륭한 리사이틀을 위해서는 훌륭한 악보, 훌륭한 원고가 필요할 것이다(김상준 외, 2005).

바람직한 뉴스 아나운싱

뉴스와 방송 리사이틀의 음성 표현, 즉 아나운싱에서 지켜야 할 중요한 원칙은 다음과 같다(김상준 외, 2005).

- 정확한 발음, 간결한 억양, 명료한 정보 전달에 주력한다.
- 말하듯이 하되 아나운싱 아트(announcing art)로서 음악성을 갖추도록 한다.
- 장단음, 발음, 핵심어, 쉼과 연결 등 사전 준비를 철저히 한다.
- 진취적이면서 생동감 있는 언어와 비언어적 표현에 유념한다.

뉴스는 말하듯이 해야 한다는 주장을 하는 사람들이 있다. '말하듯이'라는 말을 '기교를 부리지 않고 부드럽게'라는 의미로 본다면 옳은 말이다. 그러나 하우스만 등(Hausman, et al., 2000)은 뉴스에서 리듬의 변화를 비롯한 다양한 억양과 강세, 소리의 크기와 세기, 높낮이 등 모든 것을 고려해서 총체적으로 변주하듯 원고를 읽어야 한다고 했다. 그렇게 해야 마치 한 곡의 음악처럼 말의 운율이 살아난다고 했다. 그리고 유능한 커뮤니케이터라면 방송용 문장에서 고유의 운율을 찾아야 한다고 말한다.

변주란 어떤 주제를 바탕으로 선율(melody) · 리듬(rhythm) · 화성(harmony) 등을 여러 가지로 변형해서 연주하는 것을 말한다. 음악과 마찬가지로 좋은 뉴스를 위해서는 노래를 배우는 것처럼 표준 유형을 익혀야 한다. 뉴스에서 문제가 있는 어투는 책을 읽듯이 억양이 단조로운 어투, 어색한 톤의 어투, 노래하는 듯한 어투, 판에 박힌 어투, 흐느끼는 식의 애조가 섞인 말투 등이 있다.

드문 일이긴 하지만 텔레비전 뉴스를 라디오 뉴스처럼 하는 경우가 있다. 이런 경우는 노래가 제대로 되지 않는 음치처럼 음성연기에 문제가 있다고 하겠다(김상준, 2008).

음치(音痴, tone-deafness)란 음에 대한 감각이 둔하고 목소리의 가락이나 높낮이 등을 분별하지 못하는 상태를 말한다. 넓은 뜻의 음치는 음악적 · 청각적 능력에 결함이 있는 것을 뜻한다. 이때의 음치는 노래를 부를 때 현저하게 음정을 잡지 못하는 사람을 가리킨다.

음치는 감각적 음치와 운동적 음치로 나눌 수가 있다.

감각적 음치는 청각 능력에 관계되는 것으로, 음의 고저와 강약, 장단, 화음, 리듬 등을 정확하게 인식하지 못하는 것이다. 운동적 음치는 재생하는 능력, 즉 인식한 음을 소리나 악기로 재현하지 못하는 것을 말한다. 감각적 음치의 경우는 음을 정확하게 인식할 수 없다. 그래서 정상적인 재생 능력을 가지고 있어도 재생된 음이 원래의 음과 다르게 되며, 그 차이를 스스로 알지 못한다. 그러나 올바른 훈련이나 음악을 듣는 것에 친해질 수 있는 환경을 만들어 줌으로써 어느 정도 교정은 가능하다고 한다(두산백과, 2012).

비전문적 뉴스 아나운싱의 특징

반복적 올리기

유·소아적인 발성으로 말꼬리를 계속 올리면서 자신을 소개하는 유치원이나 초등학생들의 어투를 상상하면 된다. 많이 쓰이는 뉴스 문장의 어미와 고시조 중 평시조인 회고가를 예로 든다.

[-했: 고◡, -했: 으며◡, -했: 습니다◡.]
오: 백년 도읍지를 필마로 돌아드니◡ /산천은 의: 구하되 인걸은 간 데 없: 다◡/ 어즈버 태평연월이 꿈이런가 하노라◡.

반복적 내리기

자신 없는 소리에 생동감이 없는 말로 말끝을 내린다.

[-했: 고⌒, -했: 으며⌒, 했: 습니다⌒.]

습관적 끌기

비전문 방송인들에게서 볼 수 있는 책 읽는 형태의 낭독이다.

[-했: 고~, -했: 으며~, -했: 습니다~.]

끌다가 올리기

훈화나 훈시, 강의 형태의 낭독이다. 군대 조직에서 명령하거나 지시하는 형태의 언어 표현이라 할 수 있다.

[-했: 고⤴, -했: 으며⤴, -했: 습니다⤴.]

습관적 비음화

코에 이상이 없는 경우에도 습관적인 콧소리나 콧소리에 가까운 유성음을 내는 경우가 많다.

둔탁한 종결어미

'입니다' '했습니다'에서 종결어미 '-다'는 유성음이지만 무성음으로 내면서 힘을 가하면 부드러운 '-다'가 둔탁한 무기음으로 소리 난다.

스타카토의 경박단소형

딱딱 끊어 읽듯이 낭독하는 스타카토(staccato) 형태의 낭독을 말한다. 스타카토란 군대에서 많이 하는 구호나 군가식으로 딱딱 끊어서 말하는 형태다. 방송 뉴스는 스타카토가 아닌 부드럽게 이어가는 레가토(legato) 형태라야 한다.

시조를 이용한 방송 연습

방송 뉴스를 중심으로 한 아나운싱 연습의 기초 단계에서 시조 낭송과 함께 시조를 뉴스로 바꿔 낭독하는 연습이 효과가 있다. 시조의 자수(음절수)는 3·4·3·4, 3·4·3·4, 3·5·4·3으로 한 장을 15자 내외, 한 수를 45자 내외로 가른다. 43자로 돼 있는 야은(冶隱) 길재(吉再) 선생의 회고가를 뉴스처럼 할 경우에는 다음과 같이 쉼과 끊어 읽기를 해야 한다.

오: 백년 도읍지를 필마로 돌아드니√ 산천은 의: 구하되 인걸은 간 데없: 다 / 어즈버 태평연월이 꿈이런가 하노라.//

1분간 뉴스 발화 속도는 350~370음절이면 적절한 속도다. 영어의 경우에는 1분에 160단어의 속도를 권장하고 있다(Hausman et al., 2000).

뉴스 아나운싱을 할 때는 각 문장의 연결어미나 종결어미에서는 평탄, 하강, 상승 등의 변화를 주어야 한다. 방송을 할 때 호흡은 입과 코로 동시에 조용하게 해야 마이크로 잡음이 들어가지 않는다. 그리고 침을 삼킨다거나 입술이 말라 침을 바를 때에도 잡음이 나지 않도록 조심해야 한다.

뉴스 문장

여기서는 연습용 뉴스로 스트레이트 뉴스(straight news)인 '한국방송사(韓國放送史)'를 제시한다. 괄호 안의 수는 앞의 수가 해당 문장의 음절수이고, 뒤는 누적 음절수다. 1분에 350음절은 방송사 음성 테스트용 발화 속도(articulation tempo)로 제시한 것이다. 현재 아나운서들의 뉴스 전달 속도는 1분에 350~380음절이다.

뉴스-한국방송사

안녕하십니까? 2:45번 000입니다. KBS 뉴:스를 말:씀드리겠습니다//(34음절)

한:국의 첫방:송은√ 192:7년2:월16일 서울〈京城〉 정동에서/ 사단법인 경성방:송국, 호출부호 JOD:K/ 주파수 870kHz에√ 출력 1kW로 시:작됐:습니다.//(72-106)

한:반도 전역을 대:상으로/ 한:국어와 일본어를√ 3대 7의 비:율로 방:송했:던 경성방:송은/서울 부:민관(府民館)에서 이:왕직(李王職)전속 경성음악대와/ 중앙악우회 관현악단의 연:주로/(65-171, 약 30초) 개국 축하 공연을 마련하기도 했:습니다. //(16-187)

당시 한:국인 방:송요:원[방:송뇨:원]으로는/ 개국 첫날 방:송을 한√ 최:초의 여성 아나운서인 방:송원 이:옥경씨와/ JOD:K에서 공채한 마:현경씨가 있습니다.// (60-247)

한편 세:계최:초의 라디오 방:송은/ 192:0년 11월 2:일√ 미:국 KD:KA 방:송이 피츠버:그에서 시:작됐:고/

텔레비전은 영국 B:BC가 1936년 정:규방:송을 했:으며/한:국은 195:6년 T:V방:송을 시:작했:습니다.//(87-334)

KBS 뉴:스 000이었습니다.//(16-350 1분- 1초 5.8음절)

[김상준 정리, 참조: 『한국방송70년사』(한국방송협회, 1997)]

세계적 뉴스 앵커

미국의 아침은 NBC, ABC, CBS의 모닝 뉴스쇼 경쟁으로 시작된다고 해도 과언이 아니다. 미국 빅3 네트워크의 아침 뉴스 시청률 경쟁은 '자명종 전쟁(alarm clock wars)'이라고도 불린다.

미국의 대표적인 뉴스 앵커는 다음과 같다.

월터 크롱카이트(Walter Cronkite, 1916~2009)

'세기의 앵커맨'이라는 별칭을 가진 20세기를 대표하는 앵커다. 1939년 UP통신 기자로 2차대전 시 유럽 지역에서 종군했으며, 1962년 CBS 저녁 뉴스 앵커로 데뷔했다. 1969년 달 착륙 순간 보도로 유명하다.

바바라 월터스(Barbara Ann Walters, 1931~)

저널리즘계의 프리마돈나(prima donna) 혹은 인터뷰의 여왕이라고 불린다. 1976년 연봉 100만 달러 계약으로 ABC로 옮겨, 최고 몸값의 뉴스 진행자가 됐다. 주간 뉴스 매거진 〈20/20〉, 〈바바라 월터스 스페셜〉 등을 진행했다.

그림 1 1962년부터 1981년까지 CBS 저녁 뉴스 진행자였던 월터 크롱카이트(Walter Cronkite, 1916~2009)

ⓒ 커뮤니케이션북스

댄 래더(본명 Daniel Irvin Rather, 1931~)

1962년 CBS 텍사스 지사장과 베트남전 종군기자를 거쳐 1981년 월터 크롱카이트의 뒤를 이어 CBS 저녁 뉴스 앵커를 맡았다. 2004년 24년간 맡아오던 CBS 저녁 뉴스 앵커직에서 물러났다.

그림 2 미국 최초의 네트워크 뉴스캐스터 바버라 월터스(Barbara A. Walters, 1931~)

테드 코펠(Ted Koppel, 1940~)

영국 랭커셔 출신으로 ABC TV 심야 뉴스 〈나이트라인〉을 25년 동안 진행했다.

탐 브로코(본명 Thomas John Brokaw, 1940~)

1966년 NBC 뉴스 팀에 합류, 워터게이트 사건 당시 NBC 기자로 백악관을 출입했다. 1976년부터 1981년까지 NBC

〈투데이 쇼〉를 진행했다.

다이앤 소여(Lila Diane Sawyer, 1945~)

열일곱 살 때 미스 주니어 아메리카에 출전해 왕관을 차지했다. 1989년 ABC 토크쇼 〈프라임타임 라이브(Prime Time Live)〉와 〈굿모닝 아메리카〉를 진행했다.

코니 정(Connie Chung, 1946~)

동양계 최초 미국 TV 뉴스 앵커다. 1980년 LA 지역방송 앵커와 NBC를 거쳐 CBS에서 댄 래더와 공동 앵커를 맡았다.

케이티 쿠릭(본명 Katherine Anne Couric, 1957~)

ABC 뉴스 워싱턴지국 보조원으로 언론계 생활을 시작했다. 1991년부터 15년 동안 NBC의 아침방송 〈투데이〉를 진행하면서 최고의 시청률을 기록했다. 2006년 9월부터 미국 방송 사상 최초로 CBS 저녁 메인 뉴스의 단독 여성 앵커를 맡았다.

참고문헌

김상준 외(2005). 『화법과 방송언어』. 도서출판 역락.

김상준(1996). 『신문방송 기사문장』. 한국언론연구원.

김상준(2008). 『한국어 아나운싱과 스피치』. 커뮤니케이션북스

두산백과(2012). http://m.doopedia.co.kr/m/index.do

한국방송 70년사 편찬위원회(1997). 『한국방송 70년사』. 서울 : 한국방송협회.

Stephens, Mitchell(1997). *History of News: From the Drum to the Satellite*. Oxford Univ Pr.

06

MC, DJ, 내레이션

MC는 Master of Ceremonies의 약어다. 그러나 방송 프로그램은 하나의 의식(Ceremony)이 아니라 소통(Communication)이라고 할 수 있다. 따라서 MC도 Master of Communication을 지향해 나가야 한다. DJ 프로그램은 크게는 클래식 음악 방송과 팝 계열의 음악 방송으로 나누는 것이 일반적이다. 어떤 경우든 따뜻한 음색과 친밀하고 신뢰감 있는 목소리가 요구된다. 방송언어의 꽃은 아마도 내레이션일 것이다. 호감이 있는 목소리에 정확한 발음으로 낭독한다면, 안락의자의 조용한 흔들림과 같은 느낌을 받을 것이다.

MC

MC가 하는 일

MC란 'Master of Ceremonies'의 준말로 어떤 의식이나 행사, 대담과 좌담 프로그램 등의 진행자를 뜻한다.

MC는 주연이 아니라 주연을 빛나게 해 주는 조연이고, 상대의 움직임을 늘 관찰하고 거기에 따라 자신의 행동반경을 조절해 나가는 사람이다. 즉 MC란 '말을 잘 하는 사람'이 아니라, '말을 잘 하도록 도와주는 사람'인 것이다. 아나운서 이금희(2000)는 MC는 프로그램을 파악하고, 프로그램을 제작진과 함께 만들어야 하고, 그러기 위해 리허설에 참여하면서 작은 것도 꼼꼼히 챙겨야 한다고 말한다.

유능한 MC는 프로그램 진행을 위해 설계도를 준비하고, 출연자와 마음을 맞춰야 하며, 자료를 점검하고, 돌발사태에 대비하는 유연한 자세와 나만의 이야기를 가지면서도 겸손한 대표역, 즉 프로그램에서 주인의 마음도 갖춰야 한다.

MC는 누구보다 애들립(ad lib)이 좋아야 한다. 애들립은 공연이나 방송 중 돌발 상황에 대처해 원고가 없이 하게 되는 즉흥적인 말이다. MC 일은 육체적으로도 힘들고, 정신적 압박감을 받는 일이다. 유머, 지성, 훌륭한 인터뷰 능력이 필수다(김상준, 2008).

세계적 MC

- 자니 카슨(Johnny Carson, 본명 John William Carson, 1925~2005): 아이오와주 코닝에서 출생했으며, 〈자니 카슨 쇼〉, 〈투나잇 쇼〉 등 프로그램의 명사회자였다.
- 데이비드 레터맨(David Michael Letterman, 1947~): 개그맨 겸 방송 MC로 명성을 날렸다. 〈레이트 쇼 위드 데이비드 레터맨(Late Show with David Letterman)〉 등을 진행했다.
- 오프라 윈프리(Oprah Winfrey, 본명 Oprah Gail Winfrey, 1954~): 테네시주립대학 대학원을 졸업하고 잡지 발행인 겸 토크쇼 진행자로 활약하고 있다. 〈오프라 윈프리 쇼〉는 불후의 명프로그램이라고 할 수 있다.

MC 멘트

다음은 연습용 MC 멘트로 해당 문장의 음절수와 누적 음절수를 제시한다.

한글날 기념, 대학생과 함께하는 "열린음악회"

네,√ KBS 합창단의 '옛: 시인의 노래',/ 첫 곡으로 들어봤: 습니다.// (26음절)

안녕하세요, 열린음악회 ○ ○ ○ 입니다.// (16-42)

오늘 10월 9일√ 한: 글날을 맞이해서/ 한: 글에 대: 한 애정이 남다른/ 전국의 국어국문학과 학생,√ 만: 여 명과 함께 하고 있습니다./ 여러분 반갑습니다.// (56-98)
서울 청량리에 자리잡은√ 이곳 세: 종대: 왕기념관은/ 1973년에 개관했: 습니다.// (33-111)
세: 종대: 왕의 업적을 기리는 국보급 자료들이/ 한: 글실과 과학실, 국악실,/ (28-139, 30초 지점) 그리고 세: 종대: 왕 일대기실 등에 전: 시돼: 있습니다.// (48-159)
여러분, 왠: 지 가을에는/ 음악이 더 잘 들리는 것 같지 않으세요?// (24-183)
여름에 듣는 음악과 가을에 듣는 음악은/ 분명 그 느낌이 다를 텐데요.// (27-210)
깊어가는 가을저녁,/ 풀벌레 소리와 함께 듣는/ KBS교향악단과 합창단의 감미로운 선율은/ 우리의 마음을 더욱 포근하게 해: 줄 것 같습니다.// (57-267)
소프라노 조수미씨의/ '아, 대: 한민국' 박수로 청해 듣겠습니다.// (24-291, 1분 270음절)
(이 문장은 2004년 10월 KBS방송아카데미 학생들과 함께 방송 연습용으로 작성한 것임)

DJ

DJ가 하는 일

DJ란 디스크자키(disc jockey)의 준말로 라디오 프로그램이나 디스코텍 등에서 가벼운 이야기와 함께 음악을 들려주는 사람을 말한다.

라디오 DJ는 팝 계열 음악 방송과 클래식 음악 방송의 진행자로 나눌 수 있다. 한국에서는 1960년대와 1980년대까지 라디오 DJ 프로그램의 인기가 TV 못지않게 컸던 때가 있었다. 요즘은 전문 DJ보다 연예인들이 진행하는 경우가 더 많아졌다. 팝 계열 음악 방송의 진행은 톡톡 튀는 개성이 요구된다면, 클래식 음악 프로그램 진행자에게는 정감 있고 풍부한 소리와 차분한 진행이 필요하다.

미국의 경우에도 DJ는 '라디오 토크쇼 진행자'로 불리면서 역할이 커지고 있다(Hausman et al., 2000). 그들은 인터뷰를 비롯해서 상황에 맞는 애들립과 개성을 충분히 발휘하는 능력을 가져야 한다. 라디오 토크쇼는 주로 오락 프로그램이기 때문에 청취자를 사로잡지 못하면 진행자는 단명할 수밖에 없다. 전화 참여 방송일 경우 무례하거나 독설적인 사람이 많아서 유머 감각을 발휘해야 하고, 어려운 상황은 재치 있게 돌파할 수 있어야 한다. 또한 거부감 없는 편안하고 자연스러운 어조, 전달력 있는 분명한 발음, 다양한 언어 구사력이 요구된다.

DJ 멘트

다음은 DJ 멘트다. 괄호 안은 음절수를 기록한 것이다.

이 문장은 2004년 10월 동아방송예술대학교 방송연예과 '아나운싱 실습'시간에 학생들과 함께 작성한 DJ 프로그램의 오프닝 멘트다.

젊음을 위한 희망 음악

안녕하세요?↗ "젊음을 위한 희망음악" ○○○입니다.// (20음절)

길을 걷: 다 우연히 하늘을 보았습니다.// (15-35)

구름 한 점 없: 는 가을 하늘이/ 오늘따라 유: 난히도 아름답게 느껴집니다.// (28-63)

어느새 가을이 무르익어가면서/ 수확의 계: 절이 다가왔습니다.// (25-88)

푸른 하늘과 붉게 물든 단풍,/ 그리고 상쾌한 공기만으로도/ 삶: 의 여유를 가지게 해: 주는 가을에 대: 해/ 새삼 고마움을 느끼게 해: 주죠?// (51-139)

이렇게 아름답고 낭: 만적인 가을,/ 여러분은 어떤 생각을 가지고 계: 십니까?// (30-169, 30초 지점)

젊음이 더욱 멋있게 느껴지는 가을입니다.// (17-187)

오늘 같은 날은/ 여러분 모두 따스한 커피 한 잔과 함께/, 여유와 미소를 가지고√ 하루를 보내시기 바랍니다.// (41-228)

그러면 음악 듣겠습니다./ 오늘 첫 곡은√ ○○○씨가 신청한 곡입니다.// (27-255) EXTREAM의/ WHEN I FIRST KISSED YOU.// (15-270)

내레이션

내레이션의 정의

내레이션(narration)이란 일반적으로 영화, 텔레비전, 라디오의 다큐멘터리나 구성물 등의 해설이라는 의미로 사용되고 있다. 내레이션에는 화면의 설명과 함께 배경음악이나 음향효과를 추가하는 경우가 많다. 프로그램의 형식과 내용에 따라 템포나 억양, 분위기 등이 달라진다.

내레이션은 더빙 작업이라고 해서 내레이터가 모니터를 보면서 화면에 맞추어 녹음할 수도 있고, 아니면 대본 전체를 녹음한 후 편집을 거쳐 목소리를 삽입하기도 한다(김상준 외, 2005).

내레이션은 아나운싱을 예술 낭독으로 승화시키는 최고의 작품이라 할 것이다. 예술성을 살리기 위해서는 발성과 호흡, 발음 등 음성언어 조건을 모두 갖춰야 한다. 영상물일 때는 화면의 이미지에 맞추어 마치 밀물과 썰물처럼 자연스러운 흐름으로 프로그램 분위기를 살려야 한다.

하우스만 등(Hausman et al., 2000)은 효과적인 내레이션 기법을 다음과 같이 제시하고 있다.

- 내용 전달이 명확하되 튀지 않으면서 편안함을 주도록 한다.
- 부자연스럽고 긴장된 자세는 어색한 음색을 만들고 전달력도 떨어뜨린다.
- 대본에 자신의 느낌을 투사시켜 분위기를 전달한다.
- 너무 진지하고 강압적인 기법(hard sell)보다 부드럽고 미묘한 느낌이 들도록 한다.
- 시간이 생명인 방송에서는 원고에 시간표시를 하면서 장면에 맞는 내레이션을 한다.

내레이션 멘트

다음은 다큐멘터리 내레이션이다. 괄호 안의 음절수를 참고하기 바란다.

예: 부터 인간들은 고기잡이와 농사에 필요한/ 강이나 바닷가에 모여 살았다. (30)

그러나 물은 언: 제나 또 하나의 거: 대한 장애물이기도 했: 고,/ 그래서 물위에 놓인 다리는 인류가 존재하기 시작한 시기와 함께,/ 필연적으로 탄: 생하기에 이르렀다. (63-93)

다리의 가장 원시적인 형태로 외나무다리를 들 수가 있다./ (23-116)

어디서든 손쉽게 구할 수 있었던 통나무 하나,/ 그것이 물위를 가로질러 놓이면서/인간에게는 편리라는 쾌적함 하나가 더 늘어나게 됐: 다./ (54-170) 외나무다리는 한: 국인에게도 독특한 감: 흥을 불러일으키면서,/많: 은 얘: 기와 까닭을 전해준다. (37-207)

나무판 하나가 위태롭게 놓여진다. (14-221)

그러나 그나마 이것마저 없: 으면/ 십여리가 넘: 는 멀: 고 먼: 길을 돌아가야 하는데,/ 산골마을 깊은 곳에서 사: 는 사: 람들에게는/ 더 할 나위 없: 이 편리한 것이기도 했다. (63-284/1분)

(KBS 1TV, 〈한국의 미-옛다리〉, 1991.5.6)

참고문헌

김상준 외(2005). 『화법과 방송언어』. 도서출판 역락.

김상준(2008). 『한국어 아나운싱과 스피치』. 커뮤니케이션북스.

이금희(2000). 『"MC", 아나운서 방송인 되기』. 한국방송출판.

Carl Hausman, Lewis O'Donnell & Philip Benoit(2000). *Announcing*, 8th edition. Wadsworth Publishing, a division of Thomson Learning, Inc. 김상준 · 박경희 · 유애리 옮김(2004). 『아나운싱』. 커뮤니케이션북스.

07

리포터와 캐스터

요즘 우리나라의 리포터는 뉴스나 시사 문제는 물론, 전국의 화젯거리와 먹을거리, 유원지를 비롯한 명소들을 누비고 있다. 캐스터라는 말도 다양하게 쓰이고 있다. 스포츠 중계방송을 하는 아나운서를 캐스터라고도 하며, 기상정보와 교통정보를 전달하는 리포터를 캐스터로 부르기도 한다. 또한 경제 소식을 전하는 케이블TV방송에서는 시황(市況) 캐스터들이 증권 소식을 다루고 있다. 아나운서의 영역에서 뛰고 있는 리포터와 캐스터에 대해서 알아본다.

리포터

리포터가 하는 일

리포터(reporter)는 라디오와 텔레비전의 교양과 오락 프로그램 등에 출연해 보도 내용을 소개하고 인터뷰하는 등 다양한 형태의 방송을 하는 방송인이다. 리포터라는 말은 원래 신문이나 잡지, 방송 등의 탐방 기자라는 의미로 쓰였다. 그러나 요즘은 취재를 위해 사건 현장에 직접 가거나 관련된 사건 당사자들을 인터뷰하기도 한다.

리포터는 방송에 출연하기 때문에 표준어와 바른 우리말을 구사할 수 있는 능력이 요구되며, 시청자에게 호감과 신뢰감을 줄 수 있는 용모도 필요하다. 또한 사건 취재나 방송 출연 시 발생할 수 있는 돌발 상황에 대한 대처 능력이 요구되며, 깊이 있는 내용의 전달을 위해 정치 · 경제 · 사회 · 문화 등 다방면에 걸친 지식과 관심을 가지고 있어야 한다.

방송에서 효율적인 리포터가 되기 위해서는 다양한 교육과 훈련을 통해 토론할 줄 알고, 전체적인 일의 개념을 파악할 수 있어야 한다. 정치학이나 역사를 소홀히 한 리포터는 때로는 사건 내용을 오해하거나 방송 중에 중대한 실수를 할 수도 있을 것이다(Hausman et al., 2000).

리포터의 자질과 의무

방송 저널리즘을 위해서는 여러 전문적인 기술과 자질이 필요하다. 방송업무에 필요한 덕목 외에 필수적으로 도움이 되는 사항은 다음과 같다.

- 폭넓은 교양: 다양한 주제를 아는 것은 방송 저널리스트 입문에 커다란 도움이 된다. 방송언어에 필수적인 어휘와 외래어 등의 발음을 정확하게 하는 것은 공적이든 사적이든 보편적인 교양에 속한다. 또한 세계적인 시사 문제 역시 잘 파악해 두는 것이 중요하다. 사건의 내용을 이해하지 못한 채 리포트를 할 수는 없기 때문이다.
- 문장 작성 능력: 방송 진행자는 기본적인 원고를 작성할 수 있어야 한다. 낭독만 해도 무방한 위치에 있는 사람들 또한 작문 실력이 요구된다. 방송 스타일에 적합한 방송 문장을 작성하는 능력은 필수다.
- 애들립 구사 능력: 방송에서 애들립(ad lib) 능력은 매우 중요하다. 라디오와 텔레비전에서는 생방송 보도가 현장에서 이루어지는 경우가 많다. 새로운 중계방송 기기의 발달로 인해 앞으로는 더 많은 방송이 현장에서 진행될 것이다. 또한 방송 기술의 발달은 생방송

에 많은 시간을 할애할 것이므로 즉흥적인 애들립 능력이 더 큰 비중을 차지하게 될 것이다.

- 대인 커뮤니케이션: 방송 소재의 취재 상황에 따라 때로는 취재원을 재촉해야 하고, 쉴 새 없이 떠들거나 취재원에게 협조를 요청해야 할 경우가 많을 것이다. 방송 소재의 발굴을 위해서는 사교적 기술이 필요하다. 그리고 방송 취재원을 다루면서 어려운 상황에 직면할 가능성도 있다. 때로는 감정적으로 동요된 사람들의 심정을 헤아리면서 커뮤니케이션을 위한 안정적인 분위기 유지에 신경을 써야 한다(박기순, 1998).

리포트 문장

다음은 2012년 런던 올림픽 폐회식에 대한 리포트다.

올림픽 화려한 폐막 '英 음악의 향연'

〈MC 멘트〉

런던 올림픽 폐: 회식은 보신 것처럼/ 하나의 거: 대한 뮤: 직박스를 연상케 했: 습니다./

전설적인 록그룹 퀸: 을 비롯한 기라성 같은 가수들이 출연해: 서/ 영국 음악의 향: 연을 펼쳤습니다./

런던에서 OOO 기잡니다./

〈리포트〉

런던 올림픽 폐: 막식은/ 영국 대: 중음악의 진수를 보여줬습니다./

영국을 대: 표하는 팝스타(pop star) 조지 마이클(George Michael)이 등장하면서/ 주경: 기장은 거: 대한 콘서트장으로 변: 했습니다./

전설적인 록(Rock) 그룹 퀸: (Queen)의 노래에 맞춰/ 8만여 관중들은 발을 함께 구르며 세: 대와의 공: 감을 시: 도했습니다./

이후 핑크 플로이드(Pink Floyd) 등/ 록의 역사를 대: 표하는 명곡들이 울려 퍼지는 등/ 폐: 막식은 영국의 대: 중문화를 한 데 아우르는 흥겨운 파: 티였습니다./

〈인터뷰〉

칼(영국 시민): "정말 환상적입니다. 가장 아름다운 올림픽 폐막식입니다."

2016년 개최지인 브라질 리우는/ 흥겨운 삼바 리듬으로 흥을 돋웠고,/ 축구의 전설이 된 펠레가 깜짝 등장해서/ 관중들의 뜨거운 박수를 받았습니다./

펜싱경기 도중 멈춰버린 1초로/ 오: 심 논란을 겪은 신아

람 선: 수의 눈물도/ 전광판을 통해 재: 조명됐습니다./
전세계를 감: 동시켰던 17일간의 런던 드라마는/ 이렇게 막을 내렸습니다/.
4년 뒤엔 브라질 리우데자네이루에서/ 또 한 번의 성: 대한 축제가 펼쳐집니다./
런던에서 KBS 뉴: 스 OOO였습니다./
(KBS 1TV 〈뉴스9〉, 2012.8.13)

캐스터

캐스터(caster)는 스포츠 중계방송 아나운서를 지칭하는 말이었으나 요즘은 기상정보를 제공하는 방송인을 일컫는 말로 더 많이 쓰인다. 한국에서는 기상정보를 제공하는 방송인을 기상 캐스터라고 하지만, 미국에서는 기상 리포터라고 한다. 한국의 기상 캐스터나 미국의 기상 리포터는 기상 전문가이면서 엔터테이너(entertainer)라 할 수 있을 정도로 인기인들이 많다. 기상예보는 과학이며, 시청자들의 생활방식과 복지, 안전에도 영향을 주고 있다. 기상 캐스터에 대한 이미지는 최신 기술의 전문가로 인식된다.

다른 방송 직종과 마찬가지로 기상 캐스터는 카메라 앞에서 침착해야 하며, 정확한 정보전달을 위해 애들립 구사에 능숙해야 하고, 자세와 동작도 좋아야 한다(Hausman

그림 1 한국 최고의 여성 기상 캐스터 이익선(1968~)

et al., 2000).

실제 기상방송은 크로마키(chroma key)라는 화면 합성 기법으로 제작되는데, 캐스터는 아무것도 없는 빈 벽 앞에서 멘트를 하게 하게 된다. 방송에서 볼 수 있는 기상예보의 지도는 기상 캐스터 뒤로 투영된 컴퓨터 이미지일 뿐이다.

또한 지상파방송은 물론이고 경제 소식을 전하는 케이블TV방송에서는 시황(市況) 캐스터들이 전하는 증권 소식을 많이 다루고 있다(김상준, 2008). 특히 경제 전문 채널에서는 지상파에서도 전문으로 다루기 힘든 영역인 경제 관련 프로그램을 방송하고 있다.

다음은 기상정보와 주식 시황의 멘트(announcement)다.

기상정보 멘트

날씨 전해드립니다./

오늘부터 10: 월 4: 일까지 사흘 동안/ 한: 반도는 흐리고 비가 자주 올 것으로 보입니다./

오늘은 평양을 비롯한 북한 전역에/ 비가 조금 내릴 것으로 예: 상되고,/ 서울 경기, 강원도에 비가 오겠습니다./

내일 북한은 함경도 지방을 중심으로 비가 오겠고, /평양은 낮부터 점: 차 개: 겠습니다./

다음 주부터 10월 말까지는 건조한 날이 많: 겠으며/11월 초순에는 내: 륙과 산간 지방에/ 서리가 내리고 얼음이 어는 곳도 있겠습니다./

서울지방 현: 재기온은 15: 도입니다.

(YTN 기상정보, 2007.10.2)

주식시황 멘트

국내 주식형펀드 수익률 다시 플러스로

국내 주식형펀드의 수익률이 한 주 만에 다시 플러스로 돌아섰습니다./

펀드평가사 제로인 조사 결과/ 국내 주식형 펀드는 한 주간 4.59% 상: 승하며,/ 지난해 12월 첫째 주 이: 후 가장 높은/ 주간 단위성과를 기록했: 습니다./

유형별로 보면/ 대: 형주 편입비가 높은 K 200 인덱스 펀드가/ 5.34%의 수익률로 가장 우수한 성과를 냈: 고,/ 중소형주식 펀드는 1.07% 상: 승에 그쳤습니다. /

일반주식 펀드는 4.06%,/ 배: 당주식 펀드는 3.54%씩 각각 수익률이 상: 승했: 습니다./

국내채: 권 펀드는/ 일반채: 권 펀드가 0.07% 상: 승해 가장 높은 성과를 기록했: 고,/ 하이일드 채: 권 펀드 0.06%,/ 초단기채: 권 펀드 0.05% 등의 순: 이었습니다/.

(KBS 정수영 기자, 2012.8.4)

참고문헌

김상준(2008). 『한국어 아나운싱과 스피치』. 커뮤니케이션북스.

박기순(1998). 『대인커뮤니케이션』. 세영사.

Hausman, Carl & O'Donnell, Lewis & Benoit, Philip(2000). *Announcing*, 8th edition. Wadsworth Publishing, a division of Thomson Learning, Inc. 김상준 · 박경희 · 유애리 옮김(2004). 『아나운싱』. 커뮤니케이션북스.

08

중계방송과 현장 묘사

중계방송의 캐스터는 경기장에서 벌어지는 상황, 역동적이면서도 감동적인 드라마와도 같은 매 순간을 훈련된 언어로 각색해서 던지는(cast) 언어의 마술사라 할 수 있다. 그러나 외형적 표현 기술에 지나치게 집착하다 보면, 어법에 맞지 않는 언어 표현이나 국적 불명의 뜻 모를 용어를 남발하며 경기의 흐름과 맞지 않게 내용을 잘못 전달하는 일이 벌어지기도 한다. 빠른 묘사와 흥미 있는 내용 전달, 표준적인 언어 표현을 위한 캐스터의 길을 알아본다.

스포츠 중계

과거의 아나운서들은 중계방송 캐스터가 되기 위해 전차를 타고 가면서 길거리의 모든 간판을 빠른 속도로 읽는 훈련을 통해 현장 묘사력을 길렀다는 말도 전해진다. 스포츠 중계방송은 그만큼 빠른 속도로 현장 상황을 묘사해야 한다.

스포츠 중계방송을 위해서는 자신이 하고 싶은 경기, 자신이 좋아 하는 캐스터의 중계방송을 녹음해서 녹취록을 만든 뒤 그대로 따라 하는 반복 연습이 필요하다. 그것은 경기의 흐름을 이해할 수 있고, 경기 나름의 용어와 표현법을 익힐 수 있는 방법이다. 처음에는 모델이 되는 아나운서의 아나운싱을 모사하는 것이다. 그러고 난 뒤 자신의 개성을 살리는 연습을 꾸준히 해야 한다(김상준, 2008).

지금까지 측정한 라디오 스포츠 중계의 1분간 최대 발화 음절수는 약 600음절이다. 그러나 최근에는 라디오 중계의 경우에도 텔레비전 중계처럼 해설자와 여유 있게 경기 분석 위주의 중계방송을 하고 있기 때문에 과거처럼 빠른 속도에 의미를 둘 수는 없다. 그러나 실제 중계에서는 빠른 묘사를 위해 빠른 발화 연습이 필요하다.

올림픽과 월드컵 등은 전 인류가 열광하는 스포츠 이벤트다. 2012년 런던올림픽은 우리 한국이 5위를 차지하고,

그림 1 중계방송과 현장 묘사의 대가 임택근(1932~)

축구가 사상 처음으로 동메달을 딴 기록을 세웠다. 특히 이 동메달은 일본과 경기에서 2:0이라는 값진 승리를 거둔 산물이어서 더욱 감동을 안겨 주었다.

2012년 7월 29일부터 8월 12일까지 런던에서 열린 올림픽에서 "지상파 3사의 올림픽 중계방송 성적표"라는 기사를 통해 아나운서와 해설자의 중계방송에 대한 ≪스포츠 서울≫ 남해연 기자의 평을 참고한다.

올림픽 등 굵직한 스포츠행사가 열리고 나면 '뜨는' 해설위원이 있곤 했다. 이번 올림픽에서는 뉴 페이스가 눈에 띄지 않은 가운데 단연 SBS 해설위원과 캐스터의 찰떡 호흡이 빛났다. (중략) 해설위원과 캐스터가 워낙 호흡도 좋은 데다 이번 올림픽을 위해 수험생처럼 열심히 공부하고 준비해 꼼꼼하고 친절한 중계로 큰 사랑을 받았다.

(≪스포츠서울≫, 2012.8.12)

경기를 중계하는 아나운서나 해설자들은 시청자들이 더 경기를 잘 읽고 있다는 것을 잊지 말고 열심히 준비하고 열정적인 중계를 하되 겸손한 자세를 지켜야 할 것이다.

스포츠 중계방송의 요령

구기를 중심으로 스포츠 중계방송을 연습할 수 있는 몇 가지 요령은 다음과 같다.

- 1분에 600음절 정도를 표현할 수 있도록 발성 연습을 한다.
- 중언부언하지 않고 필요한 말만 하도록 묘사력을 기른다.
- 선수 이름, 경기 용어, 상황이 벌어지고 있는 위치, 경

기가 진행되고 있는 현재 시각을 파악해서 전달한다.

- 해당 경기의 각종 정보에 정통하도록 노력하고, 평소에도 기록에 충실해야 한다.
- 장시간 중계에 적응할 수 있도록 체력 관리와 성대 관리에 힘쓴다.

중계방송 멘트

다음은 2005년 10월 12일 서울에서 열린 한국과 이란의 평가전에서 뛴 선수들을 가상해서 대입시킨 것이다. 이 경기는 2005년 9월 한국 축구 국가대표팀 감독으로 영입된 네덜란드 출신 딕 아드보카트(Dirk Nicolaas Advocaat) 감독의 첫 번째 경기로 한국이 2:0으로 이긴 경기다(김상준, 2008).

연습용이기 때문에 1분에 600음절을 발화하는 중계방송으로 재구성한 것이다. 괄호 안의 음절수를 참고하기 바란다.

한국 대 이란, 2006독일월드컵평가전

한: 국과 이란의 친선경: 기,/ 후: 반전 4: 0분/ 한: 국공: 격입니다.// (17음절)

상대방 진영,√ 페널티박스 왼: 쪽에서/조: 원희 센터링,/ 이란 수비 헤딩,/ 아: 크 밖으로 밀어낸 공: ,/ 이:

동국 달려가면서 슛: /수비 맞고 오른 쪽으로 튀어나온 볼입니다.// (61-78)

김진규 페널티 박스로 접어들면서 다시 슛: !// (17-95)

그러나 수비 맞고 골: 아웃,/한: 국 오른쪽 코: 너킥입니다.// (21-16)

한: 국 오른쪽에서 코: 너킥입니다./코: 너킥을 준: 비하고 있는 박지성입니다.// (24-140)

유경렬, 박주영, 조: 원희가 상대방 문전에,/ 한: 국 선: 수 네댓 명이 √아: 크서: 클 부: 근에 포: 진하고 있습니다.// (39-179)

아시아 최: 강을 자랑하는 이란은/한 명을 제외한 전원이 코: 너킥에 대: 비하고 있습니다.// (34-213)

박지성,√코: 너에서 2: ~3 미: 터 물러섰다가/ 달려가면서 코: 너 킥,/ 아, 높은 공,/ 문전에서 이: 동국 점프,/그러나 이란 수비 헤딩으로 멀: 리 보냈습니다.// (55-268)

이란 메자이,√자기 진영 오른 쪽 중간에서,/ 중앙선 넘겨 길: 게 패스했습니다.// (29-297, 발화속도 30초 지점)

이란의 역습,√오른 쪽 터치라인을 따라 돌진하는 이란,/ 한: 국 수비 두: 명밖에 없: 습니다.// (33-330)

이란 공: 격수 한 명/정: 면으로 밀고 들어옵니다.// (18-

348)

이란 오른 쪽 골: 라인 부근에서 센터링,/아: 크서: 클부: 근에서 이란 공: 잡는 순간,/이: 천수 슬라이딩 태클,/ 오른 쪽 터치라인 부: 근으로 밀어냈습니다.// (66-414)

한: 국 위기를 모면했습니다.// (11-425)

후: 반전√ 시간 얼마 남지 않았습니다.// 한: 국 아드보카트 감독,/이: 동국 대: 신√ 안정환을 투입하고 있습니다.// (40-465)

조: 원희 볼: 잡았습니다.// (9-474) 전반 59초 만에√ 상대 골: 문 오른쪽에서 강슛,/ 마치 당구의 쿠션 볼: 처럼/ 수비 세: 사람에게 맞은 뒤 √ 골에 빨려 들어가/ 선취골을 뽑아낸 조: 원희/ 길: 게 찼습니 다.// (62-527)

후: 반 4: 4분입니다.//이때 안정환 볼잡고 단독 드리블,/ 밀고 들어가다 김진규에게 패스,/김진규 왼: 발 슛: ,/골: , 골: ,/한: 국 2: 대 0으로 다시 한 골: 추가했: 습니다.// (66-593)

6만여 명의 관중, 열광,√ 또 열광입니다.// (15-608 *누적 음절 608음절은 1분간 최대 발화 가능 음절수)

2002년 한: 일 월: 드컵 당시의 열광에 못: 지않습니다.// (21-629)

한: 국 축구 국가 대: 표팀: / 아드보카트를 감독으로 영입한 이: 후 첫 경: 기를/2: 대 0 승리로 장식하면서/ 독일 월: 드컵을 향한√ 순: 조로운 출발을 하고 있습니다.//(60-689)

여기는 상: 암 월: 드컵 경: 기장입니다.// (14-703)

의식 중계

의식 중계방송은 스포츠 중계처럼 빨리 할 필요는 없다. 의식 중계 사회를 맡게 되면 충분히 정보를 수집해야 한다. 또한 식이 진행되는 순서와 식장 배치, 기념사나 축사를 하는 인사, 배석하는 인사, 참석한 사람들이 누군지 확인해야 한다. 스케치는 단상에 자리 잡은 사람은 물론이고, 단하에 참석한 사람에 대해서도 필요하다.

방송에서 의식 중계는 정부 주관의 삼일절, 현충일, 제헌절, 광복절, 개천절, 한글날 등이 있고, 종교 의식으로는 부처님 오신 날 법요식과 성탄절 미사 등이 있다. 그 외에 경찰의날, 국군의날 행사가 있고, 공항에서 국가원수나 국위를 선양한 선수단 등의 환영식과 환송식 등을 들 수 있다. 예를 들어 대통령의 해외 순방 중계라면 정상회담이 갖는 의의는 무엇인지, 회담 이후 양국 간 변화에 이르기까지 총체적인 흐름을 이해해야 한다.

의식 중계방송의 작가는 따로 없다. 중계방송을 맡은 사람이 정보 수집가이고, 작가다. 대통령이 공항에 도착한 순간부터 출발 성명서 낭독, 각계각층 인사들과 환송객들의 인사, 비행기 탑승, 이륙 순서로 원고를 작성한다. 이 밖에 중계방송의 아나운싱을 어떤 어조로 할 것인가도 중요하다(김관동, 2000).

다음은 2000년 김대중 대통령의 평양 방문 시 중계방송이다. 의식 중계방송은 1분에 300음절이면 적절한 속도라고 할 수 있다.

김대중 대통령 평양 방문

분단의 벽을 넘: 는 역사적인 첫 걸음!// (14음절)

오늘 남북 정상 회: 담을 앞두고/ 김대중 대: 통령을 환송하는√ 공식 환송행사가 열리게 될/ 경기도 성남, 서울 공항입니다.// (46-60)

7천만 온: 겨레의 염: 원을 안: 고√ 그리고 이산가족의 아픔과 기대를 안: 고,/ 남과 북 정상들이 만나는 날/. 오늘은 온: 국민과 온: 세: 계가√ 우리를 주: 목하고 있습니다.// (62-122)

눈과 귀가 이곳에 쏠려 있습니다.// (13-135)

이곳 서울 공항은 지금 화창한 날씨 속에/ (16-151, 30초 지점) 민족의 꿈과 희망을 실현할 수 있는√ 출발점이라는 점에서/ 엄숙하면서도 기대와 희망에 가득 차있습니다.// (58-193)

이제 잠: 시 후 김대중 대: 통령 내: 외분이 도: 착하면 √ 간단한 환송행사 후: / 우리들이 그렇게 기대했던√ 평양길에 오르게 됩니다.// (48-241)

이곳 행사장에는√ 이: 만섭 국회의장을 비롯한 3부 요: 인,/ 주: 한외: 교사: 절,/ 이산가족 대: 표 등이 참석하고 있습니다.// (44-285)

지금 김대중 대: 통령 내: 외분이 입장하고 있습니다.// (20-305, 1분)

(2000.6.13)

참고문헌

김관동(2000). 『아나운서 방송인 되기』. KBS 아나운서실 한국어연구회.

김성호(1997). 『한국방송인물 지리지』. 나남.

남해연(2012). 지상파 3사의 올림픽 중계방송 성적표. ≪스포츠서울≫. 2012.08.12. http://news.sportsseoul.com/read/entertain/1071380.htm

조건진(2000). 『아나운서방송인 되기』. KBS 아나운서실 한국어연구회.

09

아나운서와 비언어 커뮤니케이션

비언어 메시지는 숫자와 몸짓 같은 신호언어, 걷고 뛰고 먹는 것 등의 움직임으로 나타내는 행위언어, 그리고 물체를 통해 의미를 전달하는 대상언어 등으로 분류되고 있다. 한국 방송은 아나운서나 기자, 리포터 등 방송 진행자들에게 방송을 할 때는 시청자에게 꽃다발을 안긴다는 마음으로 방송하도록 해서 부드러운 분위기를 유지하기를 바라고 있다. 여기에서는 아나운서와 관련한 비언어 커뮤니케이션과 메타 메시지를 다룸으로써 언어적 · 비언어적 분야에 대한 완성도 높은 아나운싱에 대해서 논한다.

비언어 커뮤니케이션의 개념

비언어 커뮤니케이션(nonverbal communication)은 인간의 의사소통에서 구어적(口語的, spoken) 메시지나 문어적(文語的, written) 메시지를 제외한 모든 메시지를 뜻한다. 비언어적인 외적 자극은 미소와 같은 안면표정, 응시 혹은 시선의 접촉, 제스처, 자세, 신체 접촉, 공간 혹은 시간 사용과 관련된 행동, 의복 혹은 옷차림새, 외양, 체취, 음성과 관련된 준언어인 유사 언어(paralanguage) 등을 포함한다(Hall, 1990).

비언어 커뮤니케이션 연구의 역사는 19세기 찰스 다윈(Charles Darwin)까지 거슬러 올라간다고 주장하기도 한다. 다윈은 분노, 두려움, 혐오, 놀람, 슬픔, 기쁨이라는 여섯 종류의 감정 표현은 모두 유전적으로 계승되고 보편적인 것으로 언어보다 진실성이 있다고 주장했다(Ekman & Frisen, 1971).

그 후 비언어 커뮤니케이션 분야를 체계화한 사람은 1950년대 초 미국 국무성에서 정부 관계자의 이문화 트레이닝에 관여했던 에드워드 홀(Edward Hall, 1990)이다. 홀은 공간과 시간 연구를 통해 근접공간학(proxemics)과 시간개념학(chronemics)이라는 비언어 커뮤니케이션 분야를 개척했다.

비언어 커뮤니케이션의 한 분야인 동작학(動作學, kinesics)의 창설자 레이 버드위스텔(Ray L. Birdwhistell, 1979)은 언어 메시지와 비언어 메시지가 전체 커뮤니케이션에서 차지하는 비율을 각각 35%와 65%로 분류했다. 또한 몸의 움직임과 얼굴 표정, 음성 등을 연구한 미국 캘리포니아대학교의 앨버트 머레이비언(Albert Mehrabian)은 전체 커뮤니케이션 가운데 언어는 불과 7%를 차지하고 나머지 93%는 비언어 메시지라고 했다. 93%의 비언어 메시지 가운데도 38%는 음성과 관련된 메시지고, 55%는 안면 표정과 자세, 제스처 등과 관련된 메시지라는 것이다.

마셜 매클루언(Herbert Marshall McLuhan)은 미디어를 핫미디어와 쿨미디어로 나눴는데, 김정탁(2000)은 사람도 '핫 이미지'와 '쿨 이미지'를 소유한 사람으로 나눌 수 있다고 말한다. 핫 이미지의 사람은 표현이 정확하고, 논리적이며, 원칙을 중요시한다. 쿨 이미지의 사람은 표현이 부정확하고, 비논리적이지만 여유가 있는 것처럼 보이는 사람이다. 원칙에 구속되지 않고 유연하게 행동하는 사람이다. 따라서 임기응변에도 강하고 순발력이 있다.

아나운서와 비언어 커뮤니케이션

한국의 일부 방송인과 학자 중에는 뉴스는 말하듯이 해야 한다는 주장을 하는 사람들이 있다. '말하듯이'라는 말은 '기교를 부리지 않고 부드럽게'라는 의미로 본다면 옳은 말이다. 그러나 칼 하우스만 등(Hausman et al., 2000)은 뉴스에서 '리듬의 변화를 비롯한 다양한 억양과 강세, 소리의 크기와 세기, 높낮이 등 모든 것을 고려해 총체적으로 변주(變奏)하듯 원고를 읽게 되면, 마치 한 곡의 음악처럼 말의 운율이 살아난다.'고 말한다.

그리고 유능한 커뮤니케이터라면 방송용 문장에서 고유의 운율을 찾아야 한다고 말한다. 또한 그 내용을 극적으로 살리기 위해서는 뉘앙스와 정서를 살려야 하고, 언어 본래의 의미로는 표현이 불가능한 것은 유사 언어적인 것으로 살려야 한다고 말한다.

메타 메시지(meta message)라고도 표현하는 유사 언어는 운율이나 뉘앙스와 같은 것으로 보면 된다. 메타메시지는 비언어 커뮤니케이션 연구 분야에서 많이 다뤄지고 있으며, 언어 본래의 것과 구분해서 유사 언어로 분류하기도 한다.

언어가 가진 본래의 효과를 극대화하기 위해서는 비언어적인 효과가 뒷받침돼야 한다(Hawes, 1991).

방송에서 억양 혹은 어투는 노래를 배우는 것처럼 표준 유형을 익혀야 한다. 뉴스에서도 자주 나타나는 어투로 문제가 있는 것은 책을 읽듯이 방송하는 단조로운 어투, 어색한 톤(tone)의 어투, 노래하듯이 곡조를 넣는 어투, 판에 박힌 어투, 흐느끼는 식의 애조가 섞인 말투 등이 있다. 특히 텔레비전 뉴스에서 라디오 뉴스처럼 하는 경우가 있다. 이것은 음성 연기에 문제가 있는 것으로 음악에서 음치와 같은 경우라고 하겠다.

방송의 자세

방송의 자세는 앉아서 할 때는 문제가 별로 없겠지만 서서 할 때는 허리를 곧게 펴고, 부드러우면서도 당당하게 적당한 위치에 선다.

남성의 경우 자리에 설 때는 너무 경직되지 않은 상태로, 발은 자신의 뒤꿈치가 10cm 정도 떨어지게 한다. 여성은 한쪽 발이 앞으로 나가서 뒤꿈치를 옆 발의 중간에 가까이 하고 약간 벌리면 어색하지 않을 것이다.

마이크를 손에 드는 자세는 대단히 중요하다. 핸드 마이크(hand held mic)는 자신의 턱 아래 5~10cm 정도에 오도록 하고, 수직으로 바로 세우는 것이 좋다. 핀 마이크(tiepin mic, miniature mic)를 사용할 때 본체를 벨트에 걸고, 마이크 선이 외부로 노출되지 않도록 한다. 마이크 핀은 상의의 깃 혹은 넥타이에 고정하되, 가능하면 입 쪽

그림 1 2008년 미국 대선에서 마이크를 들고 연설하는 버락 오바마 후보의 모습

으로 향하게 한다. 미리 준비된 마이크를 시험할 필요는 없다. 상의 주머니나 깃이 없는 여성들의 경우는 적절한 위치에 마이크를 걸 수 있도록 세심하게 준비해야 한다. 마이크는 옷에 스치지 않도록 해야 잡음을 방지할 수 있다(김상준, 2008).

2008년 미국의 대선 당시 로이터가 제공한 버락 오바마

(Barack Hussein Obama, 1961~) 대통령 후보의 모습은 방송인들이 참고해야 할 자세다. 그는 공화당의 존 매케인(John McCain) 후보를 물리치고 당선됐다. 오바마는 2012년 미국 대통령 선거에 다시 출마해서 미트 롬니(Mitt Romney, 1947~)와 벌인 대결에 승리해 재선됐다.

자신의 왼손으로 마이크를 잡는 자세와 오른손의 제스처 등은 아나운서들에게도 귀감이 될 수 있을 것이다. 특히 그의 의상(clothing)을 비롯해서 얼굴과 눈(face and eyes)의 표정, 자세(posture), 몸짓(gesture), 타인과 접촉(touch)하는 모습, 목소리(voice) 등은 언어와 비언어 커뮤니케이션의 완성편을 보여 준다. 2008년 미국의 제44대 대통령으로 당선되고, 4년 후인 2012년 재선에 성공한 오바마의 이런 모습은 스피치 커뮤니케이션 관련 학자들에게 좋은 연구 과제를 제공하고 있다.

마이크와 카메라에 대한 이해

마이크의 사용법과 카메라에 대한 이해는 메시지를 전달하는 커뮤니케이터의 능력에 많은 영향을 준다. 방송을 송출하는 장비는 방송에서 매우 중요한 부분이다. 아나운서가 마이크와 카메라를 어떻게 다루는지 모르면 결정적으로 기술상 문제를 일으킬 수 있다. 반면에 기술 장비에 관한 지식이 있는 아나운서는 자신의 방송 능력을 향상시키는 데 많은 도움을 받게 된다. 예를 들어 어떤 종류의 마이크는 특정 형태의 목소리를 선호하는 경향이 있다.

모든 아나운서가 기술인이 될 필요는 없다. 단지 마이크와 카메라 기술에 대한 기본 지식만 알아도 방송 솜씨를 향상시킬 수 있기에 기술 지식은 필수라고 할 수 있다.

마이크의 종류

마이크는 기계 안에 진동막이 있어 소리를 재생시킨다. '막(diaphragm)'은 소리에 대한 반응으로 떨리게 된다. 소리는 공기를 비롯한 다른 매체에 있는 미 세분자의 떨림이다. 마이크는 우선 내부 전기 부품에 따라 분류된다. 방송에서 가장 일반적으로 사용되는 마이크는 무빙 코일(moving coil)형, 리본(ribbon)형 그리고 콘덴서(condenser)형 마이크다.

- 무빙 코일형 마이크: 부착된 코일이 자기장 안에서 움직이고 이것이 전기적 신호를 발생시킨다. 이 마이크는 견고하고 다양한 용도로 사용되고, 야외 작업에 많이 사용된다. 이 마이크는 다이내믹 마이크라고도 부르는데 주변에서 흔히 볼 수 있는 타입이다.
- 리본형 마이크: 리본형 마이크는 공기의 진동이 리본

을 움직이고 리본의 움직임이 전기적 신호를 만든다. 이 마이크는 음색이 따뜻하고 음질이 좋기 때문에 많은 방송인들이 선호한다. 특히 RCA사의 77DX는 구형의 리본 마이크로 목소리를 좋게 만들어 주기 때문에 아나운서들이 좋아한다. 리본 마이크의 단점은 바람에 극도로 민감하게 반응한다는 것이다. 이 마이크는 'ㅂ, ㅃ, ㅍ'과 같은 파열음이 매우 뚜렷하게 들리기 때문에 방송할 때 조심해야 한다.

- 콘덴서형 마이크: 축전기(capacitor)라고 불리는 전기가 저장된 장치가 있다. 콘덴서 마이크는 매우 민감해서 고품질의 소리가 요구되는 곳에 사용된다. 이 마이크는 매우 민감하고 소리의 재생 능력이 탁월하기 때문에 정교한 소리를 요하는 FM라디오에서 주로 사용된다. 또한 가수들이 녹음 스튜디오에서 사용하는 민감성 고급형 마이크와 대형 콘서트홀 천장에 매달려 있는 마이크가 대부분 이 마이크다.

마이크 사용법

- 파열음을 발음할 때 유독 '프, 프' 소리가 나고 튄다면 리본 마이크의 사용을 피해야 한다. 그리고 마이크 진동막에 직접 대지 않고 비스듬하게 비껴 진동막이 튀지 않도

록 한다.

- 입술소리나 이가 부딪히는 소리와 같이 입에서 나는 미세한 소음도 나오지 않도록 조심한다.
- 팝 필터(pop filter)라고도 하는 바람 여과기는 다양한 모양과 크기가 있는데, 때로는 바람이 많이 부는 외부 현장에서나 파열음을 발음할 때 문제가 있는 아나운서가 사용한다.
- 마이크에 대고 말을 할 때는 방송의 내용에 따라서 거리를 일정하게 유지하도록 한다.
- 마이크는 종류나 원하는 효과에 따라 다르지만, 스튜디오에서는 일반적으로 입에서부터 6인치, 약 15cm 정도가 적절한 거리다.
- 굵고 힘찬 목소리를 가지고 있거나 재생될 때 소리가 둔탁해지는 경향이 있다면 마이크에서 좀 더 멀리 떨어져야 한다.
- 어렵게 설득해야 하는 내용을 방송할 때는 마이크로부터 떨어져서 방송하는 것이 훨씬 적절하다(Hausman, et al., 2000).

참고문헌

김상준(2008). 『한국어 아나운싱과 스피치』. 커뮤니케이션북스.

김정탁(2004). 『예와 예(禮&藝)-한국인의 의사소통 사상을 찾아서』. 도서출판 한울.

Birdwhistell, Ray L.(1979). *Kinesics and Context: Essays on Body Motion Communication.* University of Pennsylvania Press

Carl Hausman, Lewis O'Donnell & Philip Benoit(2000). *Announcing*, 8th edition. Wadsworth Publishing, a division of Thomson Learning, Inc. 김상준 · 박경희 · 유애리 옮김(2004). 『아나운싱』. 커뮤니케이션북스.

Ekman, P., Friesen, W.(1971). Constants across cultures in the face and emotion. *Journal of Personality and Social Psychology, 17, 124~129*

Hall, Edward T.(1966). *The Hidden Dimension.* New York: Anchor Books/Doubleday.

Hawes, William(1991). *Television performing : news and information.* Massachusetts : Butterworth –Heinemann.

Holzheu, Harry(2002). *Natürliche Rhetorik.* 정상희 옮김(2003). 『자연스럽게 말하고 확실하게 설득하라』. 사람과 책.

Mehrabian, Albert(1981). *Silent Messages*(2nd ed). Belmont Ca; Wadsworth University of Pennsylvania Press.

10

아나운서와 교육

아나운서는 올바르고 아름다운 우리말을 보급한다는 사명감으로 표준어를 사용해야 한다. 따라서 프로그램 진행을 위한 교육 못지않게 아나운싱과 스피치의 기량 향상을 위한 교육에 더 많은 투자를 해야 한다. 특히 오늘날처럼 학교에서 화법 교육을 제대로 받지 못하고 방송인이 되는 현실에서 이러한 교육은 더욱 중요하다. 방송언어는 '정확한 발음, 알맞은 크기, 적절한 속도'라는 조건을 갖추도록 해야 한다.

기존 아나운서 교육

시청자에게 꽃다발을 안기는 마음으로!
아름다운 한국어를 가꾼다는 사명감으로!
지나치게 꾸미지 않은 자연스러운 소리로!
음성언어의 조건에 맞는 표준 발음으로!

필자는 아나운서 대상 교육에서 방송은 이 네 가지 자세를 잊지 않아야 한다고 강조한다.

방송에 투입된 뒤에도 엄격한 훈련을 계속하고 있는 KBS 아나운서실에서 발행한 『21세기 아나운서 방송인 되기』의 간행사는 아나운서 교육에 대해서 다음과 같이 강조하고 있다(KBS 한국어연구회 편, 2000).

> 흔히 아나운서 교육은 앵무새처럼 주어진 원고나 잘 읽는 사람을 기르는 것이라고 착각하는 사람들이 많습니다. 그러나 KBS의 아나운서 교육과정은 아나운서이기 이전에 먼저 인간적으로 성숙한 사람이 돼야 한다는 것을 전제로 각종 교육이 진행됩니다. 그래서 저희 아나운서실은 각종 교육과 연수에서 시청자에게 군림하면서 잘난 체하지 않도록 조심하라는 주문을 많이 합니다. 남자 아나운서들의

경우는 목소리를 내리깔아 가성을 사용하는 이른바 왕자병이 든 소리를 내지 않도록 하고, 여자 아나운서들은 콧소리를 내면서 예쁜 소리를 만들어 내려는 공주병이 들지 않도록 하고 있습니다. 이렇게 지나치게 가성을 사용하거나 예쁘게 꾸미는 소리가 아닌 생동감 있고 진취적인 소리로 방송하도록 끊임없는 자기 연마를 하고 있습니다. 또한 라디오 뉴스 하나라도 리사이틀한다는 생각으로 방송하면서 정성과 혼이 들어 있어야 한다는 말을 합니다.

'아나운서이기 이전에 인간적으로 성숙한 방송인', 이것이 인재 양성의 기본이라는 말이다.

'웅변은 은이요, 침묵은 금'이라는 말이 있다. 동양적인 미덕을 잘못 이해하고 있는 사람들은 웅변보다는 침묵이, 유창한 말보다는 어눌한 말이 좋다고 할지도 모른다. 그러나 동양에서도 마음에서 나오는 소리인 말은 사람의 인격이나 덕을 담고 있는 그릇이 되며, 어떤 말을 하느냐에 따라 사람의 성품이 드러난다고 했다. 말씨를 살펴 사람됨을 알고자 하는 신언서판(身言書判)은 예로부터 인재를 등용하기 위한 조건이었다(김상준, 2008).

아나운서는 매우 힘들고 요구되는 일이 많은 직업이다. 스스로 세세한 부분에서도 땀을 흘리며 노력해야 하고, 스스로 생각하고, 즉각적이고 예리한 결정을 내릴 줄 알아야 한다(이주행 외, 2004).

신입 아나운서 교육

KBS를 비롯한 MBC, SBS 등 지상파 방송사의 아나운서 채용시험은 언론고시라고 할 만큼 어려운 관문을 통과해야 한다. 각 방송사의 공개 채용은 응시자격에 학력은 불문으로 하고 있다. 그러나 대개 4년제 대학교 졸업 예정 이상의 학력을 가진 사람들이 합격하고 있다. 나이는 불문이지만 남성은 만 30세 이하, 여성은 만 27세 이하가 일반적이다.

대개 네 단계의 관문을 통과해야 하는 전형은 1차에 카메라 테스트를 실시하고 있다. 2차는 한국어능력시험의 성적을 요청하거나, 스피치 문안 작성 등의 시험을 치른다. 경우에 따라서는 종합 교양 시험으로 국어와 영어, 종합 교양, 방송학개론, 논술 시험을 치르기도 한다. 이때 공인 영어성적표 소지자는 영어 시험을 면제하는 것이 일반적이다. 3차 시험은 실무 능력 평가를 하며, 마지막 4차는 사장을 비롯한 간부들이 시험관이 되는 면접시험을 거치게 된다.

이렇게 어려운 관문을 통과한 신입 아나운서들은 입사 이후에도 엄격한 교육과정을 거친다. KBS는 신입 사원을 대상으로 1개월간 KBS의 이념과 조직, 경영, 방송인의 자세, 방송 이론 등에 대한 교육을 연수원에서 시행한다. 연수원을 수료하면 직종별로 부서에 배치된다.

아나운서 직종은 아나운서실로 배치되면 자체 교육을 실시한다. 교육과정 중에도 이틀에 한 번 강의 시간이 끝나는 5시 이후 아나운서실에서 선배들이 지켜보는 가운데 진행되는 3분 스피치가 있다. 신입들에게 이것은 공포를 느끼게 하는 지옥 훈련과 같다고 할 수 있다.

다음은 KBS를 중심으로 한 각 방송사의 신입 사원 대상 교육 과목을 정리한 것이다(김상준, 2008).

방송언어 이론 분야

표준 발음과 발성, 표준어 규정, 방송언어론, 통일 시대 한국어의 과제, 스피치의 이론과 실제, 화법의 이론과 실제, 리포트 문장론, 방송언어와 경어 표현, 스피치 커뮤니케이션

방송언어 표현 분야

뉴미디어와 뉴스 캐스터, 방송보도문장론, 라디오 뉴스의 호흡과 발성, TV 뉴스의 실제, TV 교양 프로그램 MC론, TV 오락 프로그램 MC론, 생활정보방송 진행론, 라디오 뉴스의 어조와 속도, 뉴스의 명료도 향상 기법, 내레이션

실습, 스포츠 캐스터론, 리포팅과 인터뷰론, 리포팅의 이론과 실제, 정보화 사회와 MC상, 내레이션의 이론과 실제, 공개 방송 MC론, 클래식 음악 방송 진행론, 대중가요 방송 진행론, 팝뮤직 방송 진행론, 기상정보, 주식시황

아나운서 적응 분야

저널리스트론, 조직 커뮤니케이션론, 디지털 방송 시대의 아나운서론, 공영방송의 아나운서상, TV 뉴스의 비언어 메시지, 디지털 방송과 분장, 언어심의와 모니터, 리포팅 편집, 뉴미디어와 스포츠 캐스터론, 중계방송 및 방송현장 견학, Spot Announcement(공지사항 등), 3분 스피치

외국 방송사의 아나운서 교육

영국 BBC

영국 BBC는 아나운서라는 말 대신 프리젠터(presenter)라는 이름으로 방송 진행자를 부르고 있다. BBC는 현재 범세계적인 지역 사투리와 각 민족의 특성에 따른 언어의 다양성을 인정하고 있다. 그러나 프리젠터라는 직명으로 방송 현업에 참여하고 있는 뉴스 캐스터, MC, DJ 등은 정확한 표준 언어를 구사할 것을 요구하고 있다. 또한 방송 출연자에 대한 다양한 교육 프로그램을 적용해 언어 구사

에 완벽을 기하고 있다.

프리젠터를 선발하는 기준은 방송에서 적절하게 표현을 잘 할 수 있느냐와 표준 영어를 사용하느냐다. BBC의 프리젠터는 런던을 중심으로 한 표준 영어 지역이 아닌 스코틀랜드, 브리스틀, 요크셔 등의 지방 출신들도 있다.

1922년 방송을 시작한 BBC는 1926년 'BBC 발음국'을 발족해서 올바른 발음을 위한 지속적인 연구와 외래어의 인명과 지명에 대한 신속한 표현체계 구축으로 BBC의 위상을 확립하고 있다. BBC의 모든 프리젠터나 뉴스리더, 기자, 리포터들은 이 발음국의 규정을 지키도록 돼 있다. 발음국은 방송인에게 교양 있는 언어 구사를 조언하며 출연자들의 잘못된 언어 구사에 대해 세심한 지적도 한다. 그리고 영국의 몇몇 대학 언어학과들과 협력관계를 유지하면서 그때그때 상황에 따라 공동 작업으로 텍스트를 마련하기도 한다(김상준 외, 1999).

일본 NHK

NHK 일본어는 1925년 개국 이래 NHK 아나운서들이 다듬어 온 일본 공용어의 모범이라는 것을 자타가 공인하고 있다. NHK는 전국적으로 500여 명의 아나운서가 거의 모든 방송을 담당하면서 엄격한 교육과 인사제도, 언어와 교양 프로그램 제작으로 회사에 기여하고 있다.

NHK 도쿄 본사의 아나운서가 되기 위해서는 길고 험난한 관문을 통과해야 한다. 면접, 논문, 카메라 테스트, 최종면접을 거쳐 아나운서로 채용되면 NHK 연수센터에서 2개월간 교육을 받고 전원 지방으로 발령을 받는다. 도쿄로 다시 오는 데는 짧게는 8년에서 길게는 15년이 걸린다. NHK 아나운서의 말은 현대 일본 공통어의 모범으로 여겨지고 있을 만큼 언어교육이 철저하다.

NHK의 신인 아나운서들은 일본어 센터에서 3년간 교육을 받아야만 신인에서 벗어날 수 있다. 입사 후 2개월, 당해년도 9월에 1주일, 다음해 3월과, 1년 후 가을에 4일 정도, 이렇게 해서 3년간 교육을 받는다(김상준, 1997).

참고문헌

김상준(1997). 『NHK 일본어 관련 조사연구 보고서』. KBS 아나운서실.

김상준 외(1999). 『BBC 영어 관련 조사연구 보고서』. KBS 아나운서실.

김상준(2008). 『한국어 아나운싱과 스피치』. 커뮤니케이션북스.

이주행 외(2004). 『화법교육의 이해』. 도서출판 박이정

KBS 한국어연구회 편(2000). 『"TV 뉴스", 아나운서 방송인 되기』. 한국방송출판.

Carl Hausman, Lewis O'Donnell & Philip Benoit(2000).

Announcing, 8th edition. Wadsworth Publishing, a division of Thomson Learning, Inc. 김상준 · 박경희 · 유애리 옮김(2004). 『아나운싱』. 커뮤니케이션북스.

김상준

아나운서 양성기관인 봄온아나운서아카데미 자문위원 겸 초빙교수다. 동아방송예술대학교 방송보도제작과 교수와 방송통신심의위원회 부설 방송언어특별위원회 위원장을 지냈다. 성균관대학교 국어국문학과를 졸업하고 중앙대학교 신문방송대학원에서 문학석사, 성균관대학교에서 언론학 박사학위를 받았다. 1975년부터 KBS에서 아나운서 생활을 시작해 아나운서실장과 KBS전주방송총국장을 역임했다. 1983년에는 KBS 한국어연구회를 발족하는 데 중추적 역할을 했으며, 한국어연구회장, 표준어심의위원, 정부언론외래어심의 공동위원, 한국음성학회 회장, 한국화법학회 부회장 등을 역임했다. KBS의 아나운서와 기자, PD, 리포터 등에 대한 교육을 주로 맡으면서 1989년부터 해외 한국어 방송요원의 현지방문 교육과 국내초청 교육으로 표준한국어 보급에 기여했다. 세종문화상 문화부문상, 국민생활개혁운동 유공 대통령상, 한글발전유공 국무총리상, 한국방송70주년 공보처장관상, 군심리전 방송요원 교육유공 국방부장관상, 외솔상 등을 수상했다. 저서는 『스피치 커뮤니케이션』(2015), 『방송언어』(2013), 『한국어 발음과 낭독』(2013), 『한국어 아나운싱과 스피치』(2008), 『남북한 보도방송언어연구』(2002), 『방송과 우리말』(1986), 『화법과 방송언어』(공저, 2005), 『아나운싱』(공역, 2004), 『표준 한국어 발음사전』(공저, 2008) 등이 있다.